Chicas+

M

Meg Cabot

LOS LÍOS

de la

PRINCESA

Traducción de
Nuria Salinas

montena

Título original: *Princess in Waiting*
Adaptación de la portada: Departamento de diseño de
    Random House Mondadori / Judith Sendra
Ilustración de la cubierta: Nicola Slater
Foto de la autora: Ann Harwood

Primera edición: abril de 2008

© 2003, Meggin Cabot
© 2008, de la presente edición en castellano para todo el mundo:
    Random House Mondadori, S.A.
    Travessera de Gràcia, 47-49. 08021 Barcelona
© 2008, Nuria Salinas Villar, por la traducción

Printed in Spain – Impreso en España

ISBN: 978-84-8441-394-3
Depósito legal: B-12.192-2008

Compuesto en Fotocomposición 2000, S. A.
Impreso en Novagrafik
Vivaldi, 5. Montcada i Reixac (Barcelona)

Encuadernado en Reinbook

GT 1 3 9 4 3

Para Walter Schretzman
y todos aquellos que, como él, siembran
la generosidad por toda Nueva York.
No creáis que no nos hemos percatado.

Con agradecimiento

Agradecimientos

Muchas gracias a Beth Ader, Alexandra Alexo, Jennifer Brown, Kim Goad Floyd, Darcy Jacobs, Laura Langlie, Amanda Maciel, Abby McAden y Benjamin Egnatz.

Agradecimientos tardíos a la familia Beckham, especialmente a Julie, por su generosidad al permitirme tomar prestado el hábito de Molly de comerse los calcetines.

—Si fuera una princesa —murmuró—, podría sembrar la generosidad entre el pueblo. Pero, aunque solo soy una princesa ficticia, puedo idear pequeñas cosas que hacer por la gente. Pensaré que hacer cosas por la gente es sembrar la generosidad.

La princesita
FRANCES HODGSON BURNETT

Martes, 1 de enero, medianoche, cámara real de Genovia

MIS PROPÓSITOS PARA EL AÑO NUEVO,
POR LA PRINCESA AMELIA MIGNONETTE
GRIMALDI THERMOPOLIS RENALDO
EDAD: 14 AÑOS Y 8 MESES

1. Dejaré de morderme las uñas, incluidas las postizas.
2. Dejaré de mentir. De todos modos, Grandmère ya sabe cuándo miento, gracias a mi nariz traidora, que se ensancha siempre que suelto una bola, así que lo más conveniente será que me dedique a ser sincera y honesta.
3. Nunca más me saldré del guión cuando pronuncie un mensaje televisado al pueblo de Genovia.
4. Dejaré de decir *merde* delante de las damas de honor.
5. Dejaré de pedir a François, mi guardaespaldas en Genovia, que me enseñe tacos en francés.
6. Me disculparé ante la Asociación de Olivareros de Genovia por lo de la «balsa de aceite».
7. Me disculparé ante el chef real por haber dado al perro de Grandmère una rodaja de *foie* (aunque ya he notificado un montón de veces al servicio de cocina de palacio que no como hígado).
8. Dejaré de sermonear al Gabinete Real de Prensa de Genovia sobre los perjuicios del tabaco. Si todos quieren desarrollar un cáncer de pulmón, están en su derecho.
9. Conseguiré realizarme como persona.
10. Dejaré de pensar tanto en Michael Moscovitz.

Eh, un momento. No pasa nada porque piense mucho en Michael Moscovitz, porque ¡¡¡AHORA YA ES MI NOVIO!!!

Viernes, 2 de enero, 14.00 h, Parlamento Real de Genovia

Se supone que estoy de vacaciones, ¿sabes? En serio. Me refiero a que estos son mis días libres, mi descanso invernal. Se supone que estoy divirtiéndome, recargando pilas para el próximo semestre —que no va a ser fácil, pues pasaré a segundo nivel de Álgebra, y encima empezaré Salud y Seguridad—. En el instituto, todo el mundo me decía cosas como: «Oh, qué suerte tienes. Vas a pasar la Navidad en un castillo, lleno de sirvientes a tu disposición».

Bueno, pues, para empezar, esto de vivir en un castillo no tiene nada de especial, porque, ¿lo adivinas?: los castillos son muy viejos. Y, sí, vale, no es que date del año 4 d. C. o cuando fuera que mi antepasada la princesa Rosamunda se erigió en primera regente de Genovia. Pero al menos debe de ser del siglo XVII, y déjame decirte lo que NO tenían en el siglo XVII:

1) televisión por cable,
2) ADSL,
3) lavabos.

No es que aquí no dispongan de antena parabólica, pero, ¡por favor!, este es el hogar de mi padre; los únicos canales que tiene programados son del estilo de la CNN, la CNN Financial News y el de golf. ¿Dónde está la MTV2? ¿Eh? ¿Puede alguien decírmelo? ¿Dónde está la Lifetime Movie Channel para mujeres?

Aunque tampoco importa, porque siempre estoy ocupada. No tengo ni un minuto libre para coger el mando a distancia, en plan: «A ver si ponen alguna peli romántica...».

Ah, sí, ¿y qué decir de los lavabos? Para que te hagas una idea, en el siglo XVII no sabían nada sobre el tratamiento de las aguas residuales. Así que ahora, cuatrocientos años después, si te pasas un poco con el papel higiénico y tiras de la cadena, provocas un minitsunami casero.

Y eso es todo. Así es mi vida en Genovia.

La gente de mi edad que conozco está pasando las vacaciones de Navidad esquiando en Aspen o bronceándose en Miami.

Pero ¿yo? ¿Cómo estoy pasando yo las vacaciones de Navidad?

Bueno, pues a continuación te ofrezco una selección de lo más destacado que he hecho hasta ahora, recopilada a partir de la agenda que Grandmère me regaló por Navidad (¿a qué chica no le encantaría que le regalasen una agenda por Navidad?):

Domingo, 21 de diciembre, programa real de actividades diarias

Llego a Genovia. A consecuencia del enorme paquete de chocolatinas que he ingerido durante el vuelo, estoy a punto de vomitar delante del comité oficial de bienvenida que me recibe en el aeropuerto.

Un día entero sin ver a Michael. He intentado llamar a la casa que sus padres tienen en Boca Ratón, donde los Moscovitz suelen pasar las vacaciones de Navidad, pero no ha contestado nadie, quizá por la diferencia horaria (Genovia va seis horas por delante de Florida).

Lunes, 22 de diciembre, programa real de actividades diarias

Durante la visita a un crucero de la marina, el *Prince Phillipe*, en el puerto de Genovia, he tropezado con el ancla y he tirado sin querer al almirante Pepin por la borda. Por suerte, no le ha pasado nada. Le han pescado con un arpón.

Pero ¿por qué soy la única en este país que considera la contaminación un asunto importante? Si la gente quiere fondear con sus yates en el puerto de Genovia, debería prestar atención a lo que arroja al mar. Me refiero a que a las marsopas se les queda el morro atrapado en esa especie de aros de plástico que llevan los *packs* de latas de refresco, y luego se mueren de inanición porque no pueden abrir la boca para comer. La gente debería trocearlas antes de arrojarlas al mar, y así todo iría mejor.

Bueno, vale, no todo, porque en realidad no se debería echar basura al mar.

Sencillamente, no puedo cruzarme de brazos mientras criaturas del mar indefensas sufren los abusos de un puñado de adictos a los *bains de soleil*, en busca de ese bronceado perfecto de Saint-Tropez.

Dos días sin ver a Michael. Le he llamado dos veces. La primera no encontré a nadie. La segunda contestó su abuela y me dijo que Michael acababa de salir para ir a la farmacia a comprar los polvos para los pies que le han recetado a su abuelo. Muy propio de él, siempre pensando en los demás antes que en sí mismo.

Martes, 23 de diciembre, programa real de actividades diarias

Durante el desayuno con la Asociación de Olivareros de Genovia, comenté que no daba crédito a la insólita sequía que estaba sufriendo el área mediterránea, pues creía que su clima era «una balsa de aceite». Nadie pareció encontrar el chiste especialmente gracioso, sobre todo los miembros de la Asociación de Olivareros de Genovia.

Tres días sin ver a Michael. No he tenido tiempo de llamarle, debido a la polémica por lo de la balsa de aceite.

Miércoles, 24 de diciembre, programa real de actividades diarias

Mensaje navideño televisado al pueblo de Genovia. Me desvié un poco del discurso que me habían preparado al mencionar la cantidad de beneficios que ha devengado la instalación de parquímetros en los cinco distritos de Nueva York, y he expresado mi opinión de que su instalación en Genovia contribuiría enormemente a fomentar la economía nacional, y además disuadiría a los más tacaños de cruzar nuestras fronteras. Sigo sin tener ni idea de por qué Grandmère se puso tan furiosa. Los parquímetros de Nueva York no son artilugios deleznables que estropean el paisaje. Habitualmente, ni siquiera me fijo en ellos.

Cuatro días SVAM (Sin Ver A Michael).

Jueves, 25 de diciembre, Navidad, programa real de actividades diarias

¡¡¡POR FIN HE HABLADO CON MICHAEL!!! Finalmente le encontré. Aunque la conversación fue algo forzada, porque mi padre, mi abuela y mi primo René estaban en la misma habitación que yo, y los padres, los abuelos y la hermana de Michael estaban en la misma habitación que él.

Me preguntó si me habían hecho algún regalo bonito por Navidad y le contesté que no, que nada excepto una agenda y un cetro. En realidad, lo que yo quería era un teléfono móvil. Le pregunté a Michael si le habían hecho algún regalo bonito por Januká y me contestó que no, que nada excepto una impresora a color. Lo cual es mejor que lo que me han regalado a mí, la verdad. Aunque el cetro va de maravilla para eliminar las cutículas.

Me siento muy aliviada al saber que Michael no se ha olvidado de mí. Sé que mi novio es inmensamente superior a todos los demás miembros de su especie (me refiero a los chicos), pero todo el mundo sabe que los chicos son como los perros: carecen de memoria a corto plazo. Les dices que tu personaje de ficción favorito es Xena, la Princesa Guerrera, y al cabo de un minuto te sorprenden diciéndote que tu personaje de ficción favorito es Xica, de Telemundo. Son así y eso no hay quien lo cambie, teniendo en cuenta lo saturado que tienen el cerebro de información sobre módems y *Star Trek: Voyager* y Limp Bizkit y demás.

Michael no es la excepción. Bueno, sé que será uno de los encargados del discurso de despedida de su promoción y que sacó la mejor puntuación en el Test de Aptitud Académica y que ha sido aceptado en una de las universidades más prestigiosas del país, la que había escogido como primera opción, por cierto. Pero ¿sabes qué?, le costó algo así como unos cinco millones de años admitir que yo le gustaba. Y solo lo hizo después de que le enviara todas esas cartas de amor anónimas, que resultaron no ser tan anónimas, porque en todo momento supo que era yo quien se las enviaba, gracias a que todas mis amigas, incluida su hermana, tienen la lengua más que larga.

En fin. El caso es que cinco días es mucho tiempo sin tener noticias de tu amor verdadero. Quiero decir que, por ejemplo, el novio de Tina Hakim Baba, Dave Farouq El-Abar, a veces se pasa cinco días sin llamarla, y entonces Tina siempre cree que Dave ha conocido a otra chica mejor que ella. En una ocasión incluso llegó a plantearle el tema y le dijo que le amaba y que le dolía pasar tantos días sin recibir una sola llamada suya…, con lo que solo consiguió que Dave no volviera a llamarla, porque resulta que sufre fobia al compromiso.

Para Michael sería muy fácil conocer a una chica mejor que yo. Me refiero a que debe de haber por ahí millones mucho más interesantes que yo, y que además no son princesas ni tienen que pasar las vacaciones encerradas en un palacio con su abuela loca y su caniche estrafalario, enano y calvo.

Y aunque cuando Tina insiste en que Dave la está plantando, todas le decimos: «Que no, mujer, que no», creo que estoy empezando a saber cómo se siente.

También he hablado con mamá y con el señor Gianini. Los dos están bien, aunque mi madre sigue negándose a saber qué es lo que va a tener, si niño o niña. Dice que no quiere saberlo, porque si es un niño no empujará, ya que no quiere traer al mundo a otro opresor con cromosoma Y —el señor G. dice que mi madre puede llegar a ser muy anticromosoma Y cuando se lo propone—. Pusieron al teléfono a Fat Louie para que pudiera felicitarle la Navidad, y Fat Louie gruñó de fastidio, por lo que deduje que también está bien.

5 DSVAM

Viernes, 26 de diciembre, programa real de actividades diarias

He sido obligada a ver a mi padre y a mi primo René jugando al golf contra Tiger Woods en un torneo benéfico. Ganó Tiger (menuda sorpresa), pues papá es ya un hombre maduro y el príncipe René confesó haber asistido anoche a una fiesta de degustación de grappa. El único deporte más aburrido que el golf es el polo. Voy a verme obligada a ver jugar a papá y al primo René a «eso» el próximo mes... Claro que, técnicamente, y en todo caso, René ni siquiera es mi primo. Es como un primo... quincuagesimoprimero, o algo así.

Y, aunque sea príncipe, la legislación italiana ya no le permite poner un pie en su tierra natal, debido a que los socialistas desterraron a todos los miembros de la familia real italiana. El pobre palacio de los ancestros de René pertenece ahora a un famoso diseñador de calzado, que lo ha convertido en un complejo turístico para estadounidenses ricos, que van a pasar allí el fin de semana y cocinan pasta y beben vinagre balsámico, cosecha de hace doscientos años.

A René no parece importarle, porque aquí, en Genovia, todo el mundo sigue llamándole Su Alteza el Príncipe René, y él disfruta de todos los privilegios reservados a los miembros de una casa real.

Aun así, el hecho de que René tenga cuatro años más que yo y sea un príncipe y un novato en una escuela empresarial francesa no le da derecho a tratarme con condescendencia. Me refiero a que considero que el juego y las apuestas están éticamente mal, y que René pase tantas horas sentado a la ruleta en lugar de emplear su tiempo en una actividad más productiva me irrita.

Se lo he comentado. Me parece que René necesita comprender que la vida consiste en algo más que en conducir su Alfa Romeo o nadar en la piscina cubierta del palacio, ataviado únicamente con uno de esos Speedo negros diminutos, que están muy de moda en Europa (le he pedido a mi padre que, por favor, por el amor de todo lo sagrado, siga utilizando los *shorts*, cosa que, gracias a Dios, está haciendo).

Y, sí, vale, René se rió de mí. Pero al menos puedo descansar tranquila sabiendo que he hecho cuanto he podido para hacerle ver a un príncipe extremadamente egocéntrico lo erróneo de sus hábitos disolutos.

6 DSVAM

sábado, 27 de diciembre, programa real de actividades diarias

Un día del todo deprimente: es el vigésimo quinto aniversario de la muerte de Grandpère. He tenido que depositar una corona sobre su sepulcro, llevar un velo negro, etcétera. El velo se me pegó en el pintalabios y no conseguía despegarlo soplando, así que al final tuve que tirar un poco de él... y el viento se lo llevó volando hasta el puerto de Genovia. El príncipe René lo pescó con la ayuda de varias amables bañistas en *topless*, pero está claro que el sombrero ha quedado irrecuperable.

7 DSVAM

Domingo, 28 de diciembre, programa real de actividades diarias

Han pillado al príncipe René en la piscina cubierta, intimando con las amables bañistas en *topless*. Mi padre se ha subido por las paredes, pues cree que, cumplidos los dieciocho años, René debería ser consciente de que tiene la gran responsabilidad de ser «el príncipe Guillermo del continente» –aunque sin las Joyas de la Corona, pues la rama de la familia de René tiene un nombre pero ninguna fortuna que lo acompañe– y de que esas chicas solo le estaban utilizando. René contestó que no le importa que le utilicen de ese modo y que, si a él no le importa, ¿por qué debería importarle a mi padre? Papá se puso aún más furioso. Debería haber advertido a René de que no es sensato llevarle la contraria cuando le palpita la vena que le cruza la frente, pero no tuve tiempo de hacerlo.

Intenté llamar a Michael: cuatro horas seguidas comunicando. Supongo que estaba conectado. Podría haberle enviado un *e-mail*, pero los únicos ordenadores de palacio con acceso a internet se encuentran en los despachos administrativos, cuyas puertas estaban cerradas con llave.

8 DSVAM

Lunes, 29 de diciembre, programa real de actividades diarias

Me he reunido con los operadores de los casinos de Genovia. Su insistencia en mantener el servicio de aparcamiento con mozos para los clientes me ha descorazonado. Les informé del aumento sustancial de los beneficios devengados por los parquímetros, pero rechazaron la idea.

Le pedí a papá su llave de los despachos administrativos para poder escribir a Michael cuando quisiera, pero también rechazó la idea, porque la semana pasada pillaron allí a René fotocopiándose sus partes bajas. Le aseguré a papá que yo jamás haría algo tan necio, pues no soy un príncipe desterrado que lleva Speedo y rebosa testosterona, pero es evidente que mi argumento cayó en saco roto.

Nueve días sin ver a Michael. ¡¡¡Creo que me estoy volviendo LOCA!!!

Martes, 30 de diciembre, programa real de actividades diarias

MENSAJE DE MICHAEL vía los telefonistas del palacio. Dice: «Te echo de menos, intentaré llamarte para la *bonne nuit*». He preguntado a los telefonistas del palacio si están seguros de que fue eso lo que Michael dijo, y ellos insisten en que sí. Pero el mensaje no tiene sentido. *Bonne nuit* significa «buenas noches», no es una hora del día. Seguramente en el idioma klingon existe una palabra que suena como *bonne nuit*. No he tenido tiempo de devolverle la llamada, ya que me he pasado casi todo el día en compañía del ministro de Defensa de Genovia, aprendiendo qué es lo que debería hacerse en el improbable caso de que fuerzas enemigas hostiles invadieran nuestro país.

10 DSVAM

Miércoles, 31 de diciembre, programa real de actividades diarias

He posado para mi retrato real. Me dijeron que no me moviera y que, sobre todo, no sonriera. Me costó mucho conseguirlo, ya que Rommel, el caniche en miniatura de Grandmère, deambulaba por ahí con uno de esos conos de plástico alrededor del cuello, que le impide lamerse lo que le queda de pelo. Rommel es el único perro que conozco que sufre un trastorno obsesivo compulsivo que le hace lamerse sin parar hasta quedarse calvo. Todos los veterinarios que le visitaron en Estados Unidos concluyeron que la pérdida de pelo se debía a la suma de varias alergias. Sin embargo, cuando llegamos a Genovia, el veterinario real exclamó: «*Alors! Sufge* un *tgastogno* de *compogtamiento* obsesivo compulsivo».

No me gusta mofarme de las penurias de ninguna criatura de cuatro patas, pero Rommel estaba muy gracioso, porque al perder la visión periférica no hacía más que chocar contra las armaduras expuestas en la sala.

El pintor del retrato real dice que soy un caso perdido. Me deja marcharme antes de hora para asistir a la fiesta de Fin de Año que se celebra en palacio. Ha sido un gran chasco, porque Michael no estaba allí para besarme a medianoche. He intentado llamarle, pero los Moscovitz deben de haber ido a alguna playa o alguna fiesta en alguna piscina, porque nadie contestó.

¿Sabes lo que abunda en Florida? Pues las playas y las fiestas en piscinas. ¿Sabes quién va a la playa y a las fiestas en piscinas? Chicas en biquini. Como las que salen en la película *En el filo de las olas*. Como aquella, Kate Bosworh, que tenía un ojo azul y el otro castaño y llevaba unos *shorts* diminutos. Sí, esa. ¿¿¿Cómo se supone que va a competir alguien con una chica surfera que tiene un ojo azul y el otro castaño??? Me gustaría saberlo.

René intentó besarme a medianoche, pero le dije que mejor besara a Grandmère. Había bebido tanto *champagne* que lo hizo. Grandmère le atizó con un cisne decorativo esculpido en una piña.

11 DSVAM

Jueves, 1 de enero, programa real de actividades diarias

¡¡¡HE RECIBIDO UN *E-MAIL* DE MICHAEL!!! René había robado una llave de los despachos administrativos, arguyendo que tenía que «hacer unas consultas» en internet (estaba ponderando los atributos de las chicas apuntadas al foro «¿Eres explosivo?»; le pillé in fraganti) y casualmente yo pasaba por allí camino de la piscina, así que le exigí que me dejara entrar. René tenía una jaqueca terrible por el exceso de *champagne* que bebió anoche y no se molestó en discutir conmigo.

Así que me conecté y ¡¡¡allí estaba el mensaje de Michael!!! Resulta que no estaba en ninguna fiesta con chicas del estilo de Kate Bosworth:

Mia:

Siento mucho no haberte devuelto la llamada. Estaba en la juerga que se montó en la residencia de retiro de mis abuelos para celebrar el Fin de Año (imitaron a Ricky Martin, creyendo que estaban a la última). ¿Te transmitieron mi mensaje? Bueno, en cualquier caso, feliz Año Nuevo y te echo mucho de menos y todo eso.

P. D.: ¿Te tienen encerrada en una torre de marfil o qué? Porque incluso los prisioneros de guerra disfrutan de ciertos privilegios telefónicos. ¿Voy a tener que ir a Genovia y trepar por tus trenzas para rescatarte o algo así?

¿Ha habido en la historia una carta más ROMÁNTICA? ¡Realmente me echa de menos y «todo eso»! Y ya sabes lo que significa «todo eso». Amor. ¿Cierto? ¿No es eso lo que significa «todo eso»?

Cometí el error de preguntárselo a René. Opina que el hombre que no es capaz de escribir sobre papel sus verdaderos sentimientos hacia una mujer no es un hombre de verdad.

Le dije que no era papel sino correo electrónico, y es diferente.

¿No?

He pasado todo el día visitando a enfermos en el Hospital General de Genovia. Muy deprimente, no por los enfermos, sino por el payaso que el hospital ha contratado para animar a los niños ingresados. ¡¡¡ODIO A LOS PAYASOS!!! Los payasos me han dado miedo desde que leí ese libro de Stephen King, *It*. ¡Es horrible la capacidad que tienen los escritores para convertir algo tan inocente como un payaso en la encarnación del mal! Me he pasado el día esquivando al payaso, no fuera a ser un descendiente de Satán.

12 DSVAM

Y aquí estoy ahora, a 2 de enero, sentada en una sesión del Parlamento Real de Genovia, fingiendo prestar atención mientras todos estos vejestorios con peluca discuten y discuten sobre el sistema idóneo de aparcamiento.

Lo cual imagino que es por culpa mía. Quiero decir que si no hubiese abierto la boca con el asunto de los parquímetros, nada de esto estaría sucediendo.

Pero ¿cómo iban ellos a saber que si no cobramos por aparcar, cada vez más franceses e italianos vendrán en coche en lugar de hacerlo en tren, atascando las calles ya congestionadas de Genovia y provocando el desgaste de nuestras ya deterioradas infraestructuras?

Y supongo que debería sentirme halagada porque se estén tomando tan en serio mi sugerencia. Quiero decir que, sí, vale, soy la princesa de Genovia, pero ¿qué es lo que sé yo? Que tenga sangre real y dé la casualidad de que participo en el programa de Genios y Talentos del Instituto Albert Einstein no significa que en realidad sea un genio ni posea ningún talento. De hecho, es más bien al contrario. Es evidente que no soy un genio, que soy mediocre en todas las categorías que se le pudieran ocurrir a uno, con la posible excepción del número de pie, en lo que soy una superdotada. Y tampoco poseo ningún talento digno de mención. En realidad, me incluyeron en el programa de Genios y Talentos porque suspendía Álgebra y todos decidieron que necesitaba horas de repaso.

Así que, pensándolo bien, los miembros del Parlamento de Genovia son muy amables al escucharme.

Pero no puedo sentirme muy agradecida para con ellos teniendo en cuenta que cada minuto que paso aquí es un minuto más que sigo obligada a pasar lejos de la persona a quien realmente amo. Me refiero a que han transcurrido ya trece días y dieciocho horas desde la última vez que vi a Michael. Eso son dos semanas enteras.Y durante todo este tiempo, solo he hablado por teléfono con él una vez, debido a la diferencia horaria entre Estados Unidos y Genovia, y al injusto y nada realista programa de compromisos y obligaciones que se me ha impuesto. Quiero decir que… ¿en qué presunto punto de este extenuante programa se supone que voy a encontrar un hueco para llamar a mi novio? A ver, que me lo digan.

Y, en serio, es como para hacer llorar a una chica de casi quince años el modo en que los hados están confabulando contra Michael y contra mí. Ni siquiera he tenido tiempo para ir a comprarle un regalo, y su cumpleaños es dentro de tres días.

Solo llevo trece días siendo su novia y ya le estoy defraudando.

Bueno, tendrá que ponerse a la cola. Según Grandmère —y debe de tener razón—, estoy defraudando a todo el mundo: a Michael, al pueblo de Genovia, a mi padre, a ella…

De verdad que no lo entiendo. Me refiero a que solo son parquímetros, por el amor de Dios.

Trece días y diecinueve horas sin ver a Michael.

Sábado, 3 de enero, programa real de actividades diarias

8.00 h-9.00 h
Desayuno con el equipo olímpico de equitación de Genovia
No tengo nada contra la gente aficionada a los caballos, porque los caballos son unos animales fantásticos. Pero ¿QUÉ tiene el personal de cocina de palacio contra el ketchup? En serio, desde que abandoné la dieta estrictamente vegetariana –porque no puedo vivir sin queso y McDonald's ha empezado a tratar de forma más humana a las gallinas que ponen los huevos que utilizan en la preparación de algunas de sus hamburguesas–, no hay desayuno que me guste más que una tortilla de queso. Pero ¿¿¿CÓMO VOY A DISFRUTARLA SIN KETCHUP??? La próxima vez que venga a Genovia, pienso traerme un bote grande de Heinz.

9.30 h-mediodía
Inauguración de la nueva ala del Museo Real de Arte de Genovia
Por favor, yo pinto mejor que algunos de estos tipos, y eso que no poseo ni medio talento. Al menos han expuesto uno de los cuadros de mi madre (*Retrato de la hija de la artista a los cinco años, negándose a comer perritos calientes*), así que tiene un pase.

12.30 h-14.00 h
Almuerzo con el embajador de Japón en Genovia
«Domo arigato.»

14.30 h-16.30 h
Asistencia a la sesión del Parlamento de Genovia
¿¿¿Otra vez??? Me pasé toda la sesión pensando en Michael. Cuando Michael sonríe, se le ladea un poquito la boca. Ade-

más, tiene unos labios preciosos. Y unos ojos preciosos. Unos ojos que alcanzan a ver lo más hondo de mi alma. ¡¡¡Le echo tanto de menos!!! Debería llamar a Amnistía Internacional. ¡¡¡ES UN CASTIGO CRUEL E INTOLERABLE ALEJARME TANTO TIEMPO DEL HOMBRE AL QUE AMO!!!

17.00 h-18.00 h
Té con la Sociedad de Historia de Genovia
En realidad, tenían mucha información interesante sobre mis antepasados y parientes. Lástima que el príncipe René estuviera en Montecarlo comprando un nuevo poni para jugar al polo. Debería saber un par de cosas.

19.00 h-22.00 h
Cena formal con los miembros de la Genovian Trade Association
Vale, René tuvo la suerte de perderse esto.

14 DSVAM

No creo que pueda soportarlo mucho más tiempo.

Poema para M. M.

Al otro lado del inmenso mar,
muy lejos de mí, Michael está.
Pero no parece tanta la lejanía,
aunque no le he visto en catorce días,
porque llevo a Michael en el corazón
que por él siempre latirá con tesón.

Vale. Creo que voy a tener que esforzarme un poco más si quiero que me salga un digno tributo de mi amor.

Domingo, 4 de enero, programa real de actividades diarias

9.00 h-10.00 h
Misa en la Capilla Real de Genovia
Creía que ir a la iglesia imbuía una sensación de sosiego espiritual y protección. Pero lo único que yo sentí fue sueño.

10.30 h-16.00 h
Paseo con la familia real de Mónaco en el Yate Real de Genovia
¿Por qué soy la persona más blanca de Genovia? ¿Y qué pasa con René y los Speedo? Me refiero a que es evidente que sabe que es muy atractivo. Y todas esas chicas gritando su nombre en el puerto solo consiguieron inflarle aún más el ego. Me pregunto si seguirían adorándole tanto si supieran que le sorprendí cantando una canción de Enrique Iglesias delante del espejo de pared del salón, con mi cetro como micrófono.

16.30 h-19.00 h
Lecciones de princesa con Grandmère
No se acaban ni en Genovia. Como si no entendiera ya por qué todo el mundo se ha puesto histérico con el asunto del discurso. Me refiero a que ya he jurado que jamás volveré a salirme del guión mientras me esté dirigiendo al pueblo de Genovia. ¿Por qué tiene que seguir INSISTIENDO?

19.00 h-22.00 h
Cena formal con el primer ministro de Francia y su familia
René desapareció cuatro horas con la hija de veinte años del primer ministro. Dijeron que habían ido a jugar a la ruleta, pero, si es verdad, ¿por qué intercambiaban esas sonrisitas

cuando volvieron? Si René no va con cuidado, va a tener que cuidar de un principito mucho antes de lo que imagina.

15 DSVAM

Hoy he intentado llamarle dos veces. La primera contestó su abuela y me dijo que Michael había ido a una tienda de informática a comprar un cartucho de tinta. La segunda contestó su padre y me dijo que se había ido con Lilly y con sus abuelos a ver la última de James Bond. ¡¡¡Qué afortunados!!!

Lunes, 5 de enero, programa real de actividades diarias

8.00 h-9.00 h
Desayuno con la Compañía Real de Ballet de Genovia
Primera vez que veo a René en pie antes de las diez.

9.30 h-mediodía
Ensayos del ballet, actuación privada de La bella durmiente
No sé si Lilly tiene razón en eso de que el ballet es totalmente sexista. Me refiero a que los hombres también tienen que llevar medias. Lo cual supone en realidad un exceso de información, no sé si me entiendes...

12.30 h-14.00 h
Almuerzo con el ministro de Turismo de Genovia
¿Es que nadie comprenderá nunca lo valiosa que es mi idea del parquímetro? Además, todo el «tráfico pedestre» de los turistas que desembarcan de los cruceros que recalan en el puerto de Genovia para una visita relámpago está destruyendo algunos de nuestros puentes históricos más importantes, como el Pont des Vierges (Puente de las Vírgenes), que debe su nombre a mi tatatatatatarabuela Agnes, quien se tiró de ese puente para no hacerse monja, como era deseo de su padre —no le pasó nada: un navío real la rescató del agua y ella acabó fugándose con el capitán, para consternación de la casa Renaldo—. No me importa qué parte del producto nacional bruto depende de los turistas que desembarcan de los cruceros para una visita relámpago. ¡¡¡Se lo están cargando TODO!!!

14.30 h-16.30 h
Asistir a la alocución de mi padre ante los medios
de comunicación sobre la importancia de Genovia
como actor global en la economía internacional actual
Apasionante. ¿Podría haberme aburrido más? ¡Michael! ¡Oh,
Michael! ¿Dónde estáis, mi gentil Michael?

17.00 h-18.00 h
Té con Grandmère y los miembros de la Asociación
Benéfica Femenina de Genovia
Me derramé el té sobre los zapatos nuevos de raso, que ha-
bían teñido especialmente para que hicieran juego con el
vestido.

Ahora hacen juego con el té.

19.00 h-23.00 h
Cena formal con un líder soviético muy famoso y su esposa
René: ausente sin permiso durante la mayor parte de la cena.
Lo encontraron después de los postres, retozando en la fuente
de los jardines de palacio con la primera bailarina del Ballet
Real de Genovia. Papá tuvo un disgusto de órdago. Intenté
calmar sus nervios desquiciados charlando un rato con la mujer con la que está saliendo, Miss República Checa, para que se
sintiera bien acogida en la familia, por si se diera el caso…

16 DSVAM

Si esto se alarga mucho, probablemente sufriré una afasia,
como la chica que sale en *Ojos de fuego*, y confundiré a mi
padre con un sombrero.

Martes, 6 de enero, dependencias reales de la princesa viuda

¡¡¡ME HA LLAMADO!!!

Aunque yo no estaba aquí (para variar). Estaba en la Ópera Real de Genovia, viendo la estúpida puesta en escena de *La bohème*, que me estaba gustando hasta que todos mis personajes favoritos EMPEZARON A MORIRSE.

Ha dejado un mensaje a los telefonistas de palacio. El mensaje decía lo siguiente: «Hola».

¡«Hola»! ¡Michael me ha dicho: «Hola»!

Por supuesto, intenté devolverle la llamada en cuanto encontré un teléfono, pero todos los Moscovitz están en los almacenes Le Crabbe Shacque disfrutando de su clásico Descuento del Madrugador… Todos, excepto la doctora Moscovitz, que ha tenido que quedarse en casa porque una de sus pacientes (una adicta a las compras que estaba sufriendo una recaída con las rebajas de enero) necesitaba una sesión urgente de terapia.

La doctora Moscovitz me ha asegurado que transmitiría a Michael mi mensaje. El mensaje era: «Hola».

Bueno, quería haber dicho algo más romántico, pero he descubierto que resulta muy difícil pronunciar la palabra «amor» cuando una habla con la madre de su novio.

Oh, Dios mío, Grandmère se ha puesto a gritarme otra vez. Lleva todo el día dándome la tabarra con el inminente y estúpido baile: el baile de mi despedida-temporal, el que celebrarán la víspera de mi regreso a Estados Unidos… y a los brazos de mi amor.

El caso es que el príncipe Guillermo también asistirá al baile, porque estará en Genovia participando en el torneo benéfico de polo en el que también participarán mi padre y René, y Grandmère está muy preocupada porque vuelva a meter la pata, como en mi presentación televisada al pueblo de Genovia, y porque lo haga en su presencia.

No puede decirse que tenga la menor intención de plantarme delante del príncipe Guillermo y ponerme a hablar de parquímetros, pero en fin...

—Juro que no sé qué es lo que te está pasando —me dice Grandmère—. Desde que salimos de Nueva York, tienes la cabeza en las nubes. Incluso más de lo habitual. —Me mira con los ojos entornados, algo que siempre resulta escalofriante, porque Grandmère se hizo tatuar la línea de los párpados con kohl para poder afeitarse las cejas por la mañana y dibujarse unas nuevas, en lugar de entretenerse con la máscara y el perfilador—. No estarás pensando en ese chico, ¿verdad?

«Ese chico» es como Grandmère ha empezado a llamar a Michael, desde que le confesé que él era mi razón de ser. Bueno, además de mi gato, Fat Louie, por supuesto.

—Si te refieres a Michael Moscovitz —acabo de contestarle, con mi voz más regia—, en efecto, estoy pensando en él. Nunca se aleja de mis pensamientos porque es mi aliento y mi corazón.

Grandmère ha soltado un bufido a modo de respuesta.

—Amores de juventud —dice—. Lo superarás pronto.

Hum, perdón, Grandmère, pero no podría estar menos de acuerdo contigo. Llevo enamorada de Michael unos ocho años, a excepción quizá del breve período de dos semanas en que, por equivocación, creí estar enamorada de Josh Richter. Ocho años es más de la mitad de mi vida. Una pasión profunda y duradera no puede evaporarse sin más, ni puede describirse a partir de tu concepto pedestre de las emociones humanas.

No he dicho nada de esto en voz alta, por supuesto, teniendo en cuenta las afiladísimas uñas de Grandmère, que tiende a clavar «accidentalmente» en la gente.

Sin embargo, aunque Michael realmente sea mi razón de ser y mi aliento y mi corazón, no creo que vaya a darme por decorar el cuaderno de Álgebra con corazones y flores y ornamentos alrededor de las palabras «Señora de Michael Moscovitz», como hizo Lana Weinberger con el suyo (aunque ponía «Señora de Josh Richter», claro). No solo porque esas cosas me parecen patéticas y porque no me importa que mi identidad quede subyugada al adoptar el apellido de mi marido, sino también porque, como consorte de la regente de Genovia, Michael tendrá que adoptar el mío. No Thermopolis, sino Renaldo. Michael Renaldo. Eh, no suena nada mal, ahora que lo pienso.

Faltan trece días para volver a ver las luces de Nueva York y los ojos castaños de Michael. Por favor, Señor, permíteme seguir viva hasta entonces.

SMR Michael Renaldo
   M. Renaldo, príncipe consorte
     Michael Moscovitz Renaldo de Genovia

Diecisiete días sin ver a Michael Moscovitz.

Miércoles, 7 de enero, programa real de actividades diarias

Lo único que tengo que decir con respecto al día de hoy es que si esta gente quiere ver sus infraestructuras destrozadas por deportivos que consumen como esponjas conducidos por turistas alemanes, están en su pleno derecho. ¿Quién soy yo para entrometerme?

Oh, perdón, SOLO su princesa.

18 DSVAM

Jueves, 8 de enero, programa real de actividades diarias

8.00 h-9.00 h
Desayuno con el embajador de España
¡¡¡Sigo sin tener ketchup!!!

9.30 h-mediodía
Últimos retoques al retrato real
No se me permitirá ver el resultado final hasta que lo descubran en el Baile de Despedida. Espero que el artista no incluya el grano enorme que ha empezado a salirme en la barbilla. Sería un poco bochornoso, la verdad.

12.30 h-14.00 h
Almuerzo con el ministro de Economía de Genovia
¡AL FIN! Alguien que conviene conmigo sobre la relevancia económica de los parquímetros. ¡El ministro de Economía es MI Hombre!

Por desgracia, Grandmère sigue sin estar convencida. Y es ella, mucho más que papá y que el Parlamento, quien ejerce mayor influencia sobre la opinión pública.

14.30 h-16.30 h
Instrucción adicional sobre lo que es correcto e incorrecto decir en presencia del príncipe Guillermo

Ejemplos:
«Es un placer conocerle»: correcto.
«¿Te han dicho alguna vez que te pareces a Heath Ledger?»: incorrecto.

René apareció en mitad de la sesión camino del gimnasio de palacio y me sugirió que le preguntara a Guille qué hubo en realidad entre él y Britney Spears. Grandmère dice que si lo hago, dejará a Rommel a mi cargo la próxima vez que se vaya a Baden-Baden a hacerse un *peeling* facial. ¡Puaj! (Por las dos cosas: cuidar a Rommel y el *peeling* facial. Y, ya puestos, también por René.)

19.00 h-23.00 h
Cena formal con el principal importador-exportador
de aceite de oliva de Genovia
Pues vale.

19 DSVAM

Viernes, 9 de enero, 3.00 h, aposento real de Genovia

Se me acaba de ocurrir esto:

Cuando Michael me dijo que me amaba, en la noche del Baile Aconfesional de Invierno, quizá se refería a un amor platónico. No a un amor arrebatado y pasional. Que quizá solo me quiere como a una amiga, vaya.

Aunque habitualmente uno no le mete la lengua en la boca a un amigo, ¿no?

Bueno, quizá aquí, en Europa, sí. Pero en Estados Unidos no, por el amor de Dios.

Aunque Josh Richter lo intentó aquella vez que me besó frente a la puerta del instituto, ¡¡¡y está claro que no estaba enamorado de mí!!!

Esto es muy angustioso. En serio. Estoy despierta en plena noche y sé que al menos debería intentar dormir; mañana me toca cortar la cinta en la inauguración del Orfanato Real de Genovia.

Pero ¿cómo voy a dormir cuando mi novio podría estar en Florida queriéndome como a una amiga y tal vez en este mismo instante se esté enamorando de Kate Bosworth? Me refiero a que, a diferencia de mí, Kate tiene un don (el surf). Kate sí que pertenece al grupo de Genios y Talentos, no yo.

¿Por qué seré tan tonta? ¿Por qué no le pediría a Michael que me concretara un poco a qué se refería al decir que me quería? ¿Por qué no le solté: «¿Cómo me quieres? ¿Como a una amiga? ¿O como a una pareja estable?».

Soy tan idiota…

No voy a poder volver a pegar ojo. Quiero decir que… ¿cómo voy a dormir sabiendo que el hombre al que amo podría pensar en mí solo como en una amiga a quien le gustan los besos con lengua?

Hay algo que puedo hacer: tengo que llamar a la única persona que conozco que podría ayudarme. Y es completamente sensato llamarla porque:

1) solo son las siete de la mañana donde ella está, y
2) por Navidad le regalaron un teléfono móvil, de modo que aunque esté esquiando en Aspen la localizaré, incluso si la pillo en un remonte o algo así.

Gracias al cielo que tengo teléfono en mi habitación. Aunque debo marcar el nueve para conseguir línea con el exterior.

20 DSVAM

Viernes, 9 de enero, 3.05 h, aposento real de Genovia

¡Tina contestó al primer tono! No estaba en un remonte. Ayer se hizo un esguince en un tobillo mientras esquiaba. Oh, gracias, Señor, por provocarle un esguince a Tina y permitir así que estuviera disponible para mí cuando la he necesitado.

Y no pasa nada, porque dice que solo le duele cuando se mueve.

Tina estaba en su habitación del hotel, viendo una película en el canal Lifetime Movie (*Call Girl*, en la que Tori Spelling encarna a una mujer que lucha por costearse los estudios universitarios trabajando como señorita de compañía; basada en hechos reales).

Al principio me resultó muy difícil poner en situación a Tina. Lo único que quería saber era qué voy a decir cuando me presenten al príncipe Guillermo. Intenté explicarle que, según Grandmère, no se me permite decirle nada al príncipe Guillermo, excepto «Es un placer conocerle». Por lo visto tiene miedo de que vuelva al ataque con el tema de los parquímetros, que considera menos que interesante.

Además, ¿qué importancia tiene lo que vaya a decirle? Mi corazón pertenece a otro.

Esta respuesta fue del todo insatisfactoria para Tina.

—Al menos —me dijo— podrías conseguirme su dirección de correo electrónico. No todo el mundo disfruta de una relación sentimental emocionalmente satisfactoria como tú, Mia.

Desde que empezó a salir con él, el novio de Tina, Dave, se ha dedicado a rehuir el compromiso, arguyendo que un hombre no puede permitir que le aten antes de los dieciséis años. De modo que, aunque Tina asegura que Dave es su Romeo en vaqueros, tiene los ojos bien abiertos en caso de que aparezca algún chico agradable dispuesto a comprometerse. Pero me parece que el príncipe Guillermo es demasiado mayor para ella… Le sugerí que lo intentara con el hermano pequeño de Guille, Harry, que por lo que sé también es muy mono, pero Tina dijo que nunca podría ser reina, un sentimiento que creo que comprendo, aunque, créeme, el hecho de pertenecer a una familia real pierde casi todo el *glamour* cuando le pasa a una.

—Vale —contesté—, haré lo que pueda para conseguirte la dirección de correo electrónico del príncipe Guillermo. Pero tengo otras cosas en la cabeza, Tina, como por ejemplo la posibilidad de que Michael solo me quiera como a una amiga.

—¿Qué? —exclamó Tina, perpleja—. ¡Pero si yo creía que utilizó la Gran Palabra la noche del Baile Aconfesional de Invierno?

—Sí, lo hizo —confirmé—, pero no dijo que estaba enamorado de mí. Solo dijo que me quería.

Por suerte, no tuve que explicarle más. Tina ha leído suficientes novelas románticas para saber adónde pretendía ir a parar.

—Los chicos no pronuncian el verbo «querer» a menos que sea eso lo que de verdad sienten, Mia —dijo—. Lo sé. Dave jamás lo utiliza conmigo.

Percibí un atisbo de dolor en su voz.

—Sí, lo sé —le dije, empática—, pero la cuestión es a qué se refería Michael exactamente. Es que…, Tina, le he oído decir que quiere a su perro, pero no está enamorado de él.

—Creo que ya sé a qué te refieres —dijo Tina, aunque sonaba algo dudosa—. Y bien, ¿qué vas a hacer?

—¡Para eso te he llamado! —grité—. ¿Crees que debería preguntárselo?

Tina soltó un chillido de dolor. Creía que había movido el tobillo lesionado, pero en realidad es que le había horrorizado lo que acababa de decir.

—¡Por supuesto que no puedes preguntárselo directamente! —siguió gritando—. No puedes presionarle de ese modo. Tienes que ser más sutil. Recuerda, es Michael, lo cual le hace muy superior a la mayoría de los chicos…, aunque no deja de ser un chico.

No había pensado en eso. Por lo visto, no había pensado en un montón de cosas. No podía creer que me hubiera ensimismado de tal modo, feliz por saber que le gustaba a Michael, mientras que él podría haber estado enamorándose de otra, de alguna chica con más talentos intelectuales o atléticos que yo.

—Bueno —concluí—, quizá debería preguntarle algo así como: «¿Te gusto como amiga o te gusto como novia?».

—Mia —insistió Tina—, no creo que debas preguntárselo de una forma tan abierta. Podría salir despavorido, como un cervatillo asustado. Los chicos tienen tendencia a hacerlo, ya lo sabes. No son como nosotras. No les gusta hablar de sus sentimientos.

Es tan triste que para recibir un consejo así de fidedigno sobre los hombres tenga que llamar a alguien que está a trece mil kilómetros de distancia… Gracias a Dios que existe Tina Hakim Baba. Es lo único que puedo decir.

—Entonces, ¿qué crees que debería hacer? —le pregunté.

—Bueno, te va a resultar difícil no hacer nada —contestó Tina— hasta que vuelvas. El único modo de saber lo que siente un chico es mirarle a los ojos. No le sonsacarás nada por teléfono. A los chicos no se les da bien hablar por teléfono.

Una gran verdad, si es que mi ex novio Kenny puede considerarse un referente.

45

—Ya sé —añadió Tina, como si acabara de ocurrírsele una idea excelente—. ¿Por qué no le preguntas a Lilly?

—No sé… —respondí—. Me da un poco de vergüenza implicarla en algo que nos concierne a Michael y a mí… —La verdad es que Lilly y yo ni siquiera hemos hablado de que me gusta su hermano y de que yo le gusto a su hermano. Siempre creí que se pondría furiosa al saberlo. Pero luego resultó que, en cierto modo, contribuyó a que estemos juntos, diciéndole a Michael que era yo quien le había enviado aquellas cartas de amor anónimas.

—Pregúntale —dijo Tina.

—Pero allí es muy tarde… —objeté.

—¿Tarde? ¡Solo son… como las nueve en Florida!

—Sí, claro, la hora a la que se acuestan los abuelos de Lilly y Michael. No quiero llamar y despertarlos. Me odiarían de por vida. —«Y dificultaría las cosas de cara a la boda.» Esto último no lo dije. Aunque seguro que habría podido hacerlo, porque Tina lo habría entendido.

—No les importará que los despiertes, Mia —dijo Tina—. Llamas desde un lugar con otro huso horario. Lo entenderán. ¡Y no olvides llamarme después de que hables con ella! Quiero saber qué te dice.

Confieso que, mientras marcaba el número, me temblaban los dedos. No tanto porque temiera despertar al señor y a la señora Moscovitz y que me odiaran de por vida, sino porque cabía la posibilidad de que contestara Michael. ¿Qué iba a hacer si eso ocurría? No tenía ni idea. Lo único de lo que estaba segura era de que no iba a preguntarle: «¿Te gusto como amiga o te gusto como novia?». Porque Tina me había dicho que no lo hiciera.

Lilly contestó al primer tono. La conversación transcurrió así:

Lilly: ¡Uau! ¿¡Eres tú!?

Yo: ¿Es demasiado tarde para llamar? No he despertado a tus abuelos, ¿verdad?

Lilly: Bueno, sí. Más o menos, pero lo superarán. Y bien, ¿qué tal?

Yo: ¿Te refieres a Genovia? Hum, bien, supongo.

Lilly: Ah, sí. Estoy segura de que solo está bien eso de que te sirvan a todas horas, te lo den todo hecho, tengas criados a tu disposición y lleves una corona.

Yo: La corona duele un poco. Mira, Lilly. Tan solo dime la verdad: ¿ha encontrado Michael a otra chica?

Lilly: ¿Otra chica? ¿De qué me estás hablando?

Yo: Ya sabes a qué me refiero. Alguna chica de Florida que sepa surfear. Alguna chica que se llame Kate o tal vez Anne Marie, con un ojo azul y el otro castaño. Dímelo, Lilly. Soportaré la verdad, te lo juro.

Lilly: Primero: para que Michael conozca a otra chica tendrían que arrancarlo del portátil y hacerlo salir del apartamento, cosa que desde que llegamos solo ha hecho para comer y para comprar material informático. Está más blanco que nunca. Y segundo: no va a salir con ninguna Kate porque eres tú quien le gusta.

Yo: [*Casi llorando de alivio.*] ¿De verdad, Lilly? ¿Me lo prometes? ¿No me estás mintiendo para hacerme sentir mejor?

Lilly: No, no te estoy mintiendo. Aunque no sé cuánto va a durar su devoción por ti, teniendo en cuenta que no te acordaste de su cumpleaños.

Sentí una especie de nudo en la garganta. ¡El cumpleaños de Michael! ¡Había olvidado el cumpleaños de Michael! Lo había anotado en mi agenda nueva, pero con todo lo que ha estado pasando…

—¡Oh, Dios mío, Lilly! —grité—. ¡Lo olvidé por completo!

–Sí –confirmó Lilly–. Lo olvidaste, pero no te preocupes. Estoy segura de que no esperaba una tarjeta ni nada. Quiero decir que estás ejerciendo de princesa de Genovia. ¿Cómo vas a acordarte de algo tan banal como el cumpleaños de tu novio?

Me pareció injusto. Michael y yo solo llevamos saliendo veintidós días y durante veintiuno he estado muy muy ocupada. Me parece bien que Lilly bromee, pero no se puede decir que la haya visto bautizando acorazados ni llevando a cabo una cruzada a favor de la instalación de parquímetros. Tal vez nadie haya reparado en ello, pero esto de ser princesa es muy duro y agotador.

–Lilly –le dije–. ¿Podrías hablar con él? Con Michael, quiero decir.

–Claro –contestó Lilly. Y entonces gritó–: ¡Michael! ¡Al teléfono!

–¡Lilly! –chillé estupefacta–. ¡Tus abuelos!

–Ajá –dijo–. Es mi venganza por su manía de pegar un portazo todas las mañanas cuando salen a comprar el *Times*.

Pasó mucho rato hasta que oí pasos y después la voz de Michael diciéndole a Lilly: «Gracias». Luego cogió el teléfono y soltó, con voz rebosante de curiosidad, ya que Lilly no le había dicho quién llamaba:

–¿Hola?

El mero hecho de oírle me hizo olvidar que eran las tres de la madrugada y lo desgraciada que me sentía y lo mucho que detestaba mi vida. De pronto era como si fueran las dos del mediodía y yo estuviera tomando el sol en una de esas playas por cuya conservación estoy luchando tanto, para que el turismo no siga erosionándolas y contaminándolas como está haciendo; sentí la calidez del sol en mi piel y cómo alguien me ofrecía un refresco de naranja en bandeja de plata. Así es como me hizo sentir la voz de Michael.

–Michael –dije–. Soy yo.

–¡Mia! –exclamó. Parecía alegrarse de verdad de saber de mí. No creo que fueran imaginaciones mías. Realmente sonaba contento... y nada dispuesto a dejarme por Kate Bosworth–. ¿Cómo estás?

–Bien –contesté. Entonces, para despachar el asunto lo antes posible, le dije–: Oye, Michael, no puedo creer que me olvidara de tu cumpleaños. Soy un desastre. No puedo creer lo desastre que soy. Soy la persona más horrible que jamás ha pisado la faz de la Tierra.

Entonces Michael hizo algo milagroso: se rió. ¡Se rió! ¡Como si olvidarme de su cumpleaños fuese una tontería!

–Bah, no pasa nada –dijo–. Sé que andas muy ocupada por ahí. Y también está la diferencia horaria y todo lo demás. Bueno, ¿cómo te va? ¿Te ha perdonado ya tu abuela por el asunto de los parquímetros, o sigue martirizándote?

Estuve a punto de derretirme allí mismo, en mi enorme y sofisticada cama real, con el teléfono pegado a la oreja. No podía creer que estuviese siendo tan encantador conmigo, después de mi horrible comportamiento. No parecía que hubiesen pasado veinte días. Era como si aún estuviéramos en la puerta de mi apartamento, con la nieve cayendo, muy blanca en contraste con el pelo moreno de Michael, y Lars poniéndose furioso en el vestíbulo porque no parábamos de besarnos y él tenía frío y quería entrar en casa.

No podía creer que se me hubiese pasado por la cabeza la idea de que Michael fuera a enamorarse de alguna chica de Florida con ojos multicolor y una tabla de surf. Bueno, todavía no estaba del todo segura de que estuviera enamorado de mí ni nada, pero sí de que le gustaba.

Y en ese instante, a las tres de la mañana, sentada en mi aposento real del Palais de Genovia, bastaba con eso.

Le pregunté cómo había pasado su cumpleaños y me dijo que habían ido a celebrarlo al Red Lobster y que a Lilly le había provocado una reacción alérgica el cóctel de gambas, y que habían dejado la comida a medias para ir a urgencias porque se había hinchado como Violeta en *Charlie y la fábrica de chocolate*, y que ahora tiene que llevar encima una jeringuilla con adrenalina por si, accidentalmente, vuelve a ingerir marisco, y que los padres de Michael le regalaron un portátil nuevo para cuando vaya a la universidad y que está pensando que cuando vuelva a Nueva York montará un grupo musical porque está teniendo problemas para encontrar patrocinadores para su revista digital *Crackhead,* porque un día decidió poner en evidencia a Windows y sus prácticas monopolísticas, tras lo cual solo utiliza Linux.

Por lo visto, muchos de los antiguos suscriptores de *Crackhead* temen la ira de Bill Gates y sus secuaces.

Estaba tan a gusto escuchando la voz de Michael que no me percaté de la hora que era ni del sueño que tenía hasta que me dijo:

—Oye, ¿allí no son como las cuatro de la madrugada?

—Y, en efecto, era esa hora. Aunque no me importaba, porque estaba absolutamente feliz hablando con él.

—Sí —contesté somnolienta.

—Bueno, pues deberías acostarte —concluyó Michael—, a menos que puedas dormir hasta la hora que quieras. Pero estoy seguro de que mañana tendrás un montón de cosas por hacer, ¿me equivoco?

—Oh —dije, aún extasiada, que es como me hace sentir la voz de Michael—. Solo una ceremonia de inauguración en el hospital. Y después un almuerzo con la Sociedad de Historia de Genovia. Y después una visita al zoológico de Genovia. Y después una cena con el ministro de Cultura y su esposa.

—Oh, Dios mío —exclamó Michael. Parecía asustado—. ¿Tienes que hacer esa clase de cosas todos los días?

—Ajá —contesté, deseando estar a su lado para ver sus adorables ojos castaños mientras oía su adorable y profunda voz, y averiguar así si me amaba o no, pues, según Tina, ese es el único modo de saber qué siente un hombre.

—Mia —insistió, con cierta premura—. Será mejor que duermas un poco. Te espera un día extenuante.

—Vale —respondí feliz.

—En serio, Mia —añadió. A veces puede ser bastante mandón, como la Bestia en *La Bella y la Bestia*, mi película favorita de todos los tiempos. O como Patrick Swayze cuando instruye a Baby en *Dirty Dancing*. ¡Es tan emocionante!—. Cuelga y acuéstate.

—Cuelga tú primero.

Por desgracia, perdió todo el aire mandón en ese instante. Empezó a hablar con esa voz que solo le he oído emplear una vez, en la puerta de mi apartamento la noche del Baile Aconfesional de Invierno, cuando me besó y me besó y me besó.

Lo cual fue aún más excitante que cuando está en plan mandón, lo confieso.

—No —dijo—. Cuelga tú primero.

—No —repuse derretida—. Tú.

—No —repuso—. Tú.

—¡Colgad los dos! —nos interrumpió Lilly, grosera, por el supletorio—. Tengo que llamar a Boris antes de que la dosis nocturna de antihistamínico le haga efecto.

Así que nos despedimos a toda prisa y colgamos.

Pero estoy casi segura de que Michael me habría dicho: «Te quiero» si Lilly no hubiese entrado en escena.

Diez días para volver a verle. ¡¡¡Estoy IMPACIENTE!!!

Sábado, 10 de enero, programa real de actividades diarias

13.00 h-15.00 h
Almuerzo con la Sociedad de Historia de Genovia

Grandmère puede ser muy malvada. En serio. ¡No dejó de pellizcarme solo porque eché una cabezadita de doce segundos durante el almuerzo! Seguro que ahora me sale un moretón. Suerte que no voy a tener ni un minuto libre para ir a la playa, porque si fuera y todo el mundo viera la marca que me ha dejado, probablemente avisarían a los Servicios de Protección al Menor de Genovia o algo así.

Y tampoco es que me durmiera. Solo cerré los ojos para descansar un poco la vista.

Grandmère dice que es muy desconsiderado por parte de «ese chico» mantenerme despierta a todas horas, susurrándome memeces sensibleras. Dice que el príncipe René nunca trataría con tanta descortesía a ninguna de sus novias.

La he informado con firmeza de que Michael me había dicho que colgara, porque se preocupa mucho por mí, y que fui yo quien siguió hablando. Y que no nos susurramos memeces sensibleras, sino que mantenemos conversaciones sustanciosas sobre arte y literatura y la monopolización del sector del *software* por parte de Bill Gates.

A lo que Grandmère repuso: «¡Pfuit!».

Es evidente que tiene unos celos terribles porque le gustaría tener un novio tan inteligente y atento como el mío. Pero eso es algo que jamás ocurrirá, porque Grandmère es demasiado malvada y además está eso que se hace en las cejas. A los chicos les gustan las chicas con cejas auténticas, no tatuadas.

Nueve días hasta volver a estar en los brazos de mi amor.

Sábado, 10 de enero, 23.00 h, aposento real de Genovia

¡Estoy tan emocionada! Al no poder acompañar a su familia a las pistas de esquí, Tina ha pasado todo el día en un ciber-café de Aspen consultando todos los horóscopos de sus amigos. ¡Anoche me envió el de Michael y el mío! Voy a copiarlos aquí, en mi agenda, para no perderlos. Acierta tanto que me provoca escalofríos.

Michael. Fecha de nacimiento: 5 de enero

Capricornio es el líder de los signos de tierra. Poseedor de una fuerza estabilizadora, es uno de los signos del Zodíaco más trabajadores. La cabra tiene una tremenda capacidad de concentración, pero no en un sentido egoísta. Las personas que pertenecen a este signo confían mucho más en lo que hacen que en lo que son. ¡Y llegan muy lejos! Sin embargo, si carecen de equilibrio, pueden volverse demasiado rígidas y centrarse en exceso en el logro de sus metas, olvidando la parte lúdica de la vida. Cuando la cabra se relaja y disfruta de todo, emergen sus secretos más encantadores. Nadie tiene mejor sentido del humor que capricornio. Ah, y es capaz de encandilarnos con su afable sonrisa.

Mia. Fecha de nacimiento: 1 de mayo

Gobernadas por Venus, el planeta del amor, las personas Tauro son muy profundas en el plano emocional. Amigos y amantes, recurren al abrigo y la proximidad emotiva del toro. Tauro representa la estabilidad, la lealtad y la paciencia. Arraigado en la tierra, también puede ser muy rígido, demasiado precavido frente a los riesgos necesarios en la vida. En ocasiones, el toro acaba atascado temporalmente en el barro. Él o ella podría resistirse a algún desafío o potencial. ¿Tercos? ¡Sí! El toro siempre aflora. La energía Yin también rebosa en este signo, provocándole que sea muy muy pasivo. Aun así, nadie podría desear un amante mejor ni un amigo más leal.

Michael + Mia

Signos de tierra valientes y ambiciosos, Tauro y Capricornio parecen estar hechos el uno para el otro. Ambos valoran el éxito profesional y comparten el amor a la belleza y a los principios clásicos y duraderos. La ironía de Capricornio seduce al toro, mientras que la experta sensualidad de este último rescata a la cabra de su obsesión por los logros profesionales. Disfrutan charlando y la comunicación entre ellos es excelente. Confían el uno en el otro y se juran lealtad. Podrían formar una pareja perfecta.

¿Lo ves? ¡Somos perfectos el uno para el otro! Aunque… ¿«experta sensualidad»? ¿¿¿Yo??? Hum, no lo creo.

Aun así… ¡¡¡soy tan feliz!!! ¡Perfecto! ¡No hay nada mejor que perfecto!

Domingo, 11 de enero, programa real de actividades diarias

9.00 h-10.00 h
Misa en la Capilla Real de Genovia
¡Oh, Dios mío! Solo llevo veinticuatro días siendo la novia de Michael y ya se me da fatal. Lo de ser su novia, quiero decir. Ni siquiera se me ocurre qué puedo regalarle por su cumpleaños. Es el amor de mi vida y el motivo por el que late mi corazón. Sería lógico que supiera qué regalarle.

Pero no. No tengo ni idea.

Tina dice que lo único apropiado que se le puede regalar a un chico con el que se lleva saliendo oficialmente menos de cuatro semanas es un jersey. Y dice que incluso eso es un tanto excesivo, ya que Michael y yo todavía no hemos tenido una cita oficial. Claro que, técnicamente, ¿cómo vamos a tener una cita oficial?

Pero… ¿un jersey? Quiero decir que es tan poco romántico… Es la clase de regalo que le haría a mi padre…, bueno, si no necesitara con tanta urgencia un manual para aprender a controlar la ira, que es lo que voy a regalarle por Navidad. Está claro que a mi padrastro sí le regalaré un jersey.

Pero… ¿a mi novio?

Me sorprendió un poco que Tina sugiriese algo tan banal, pues es la experta en relaciones románticas de nuestro pequeño grupo. Pero dice que es muy estricta en esto de los regalos a los chicos. Su madre le aconsejó al respecto. La madre de Tina fue modelo y fue miembro de la *jet set* internacional, y una vez salió con un sultán, así que supongo que sabe lo que dice. Las normas que rigen los regalos para chicos son, según la señora Hakim Baba, las siguientes:

Duración de la relación:	Regalo apropiado:
1-4 meses	Jersey
5-8 meses	Colonia
9-12 meses	Encendedor*
+ de 1 año	Reloj

Pero, al menos, es mejor que la lista de Grandmère de regalos apropiados para los novios, que me entregó ayer, en cuanto le expliqué mi terrible *faux pas* de olvidar el cumpleaños de Michael. Esta es su lista:

Duración de la relación:	Regalo apropiado:
1-4 meses	Caramelos
5-8 meses	Libro
9-12 meses	Pañuelo
+ de un año	Guantes

¿Pañuelos? ¿Quién regala pañuelos hoy en día? ¡Los pañuelos son absolutamente antihigiénicos!

¿Y caramelos? ¿¿¿Para un chico???

Pero Grandmère dice que es una regla válida tanto para chicos como para chicas. A Michael tampoco se le permitiría regalarme por mi cumpleaños nada que no fueran caramelos o tal vez flores.

Definitivamente, creo que prefiero la lista de la señora Hakim Baba.

Aun así, esto de decidir un regalo a partir de la duración de la relación es muy difícil. Cada persona a quien

---

* La señora Hakim Baba dice que, para un no fumador, puede sustituirse por una navaja de bolsillo grabada o bien una petaca. En fin. ¡Como si yo fuera a salir alguna vez con un fumador, un bebedor o alguien capaz de ir por ahí con una navaja en el bolsillo! ¡Ooohhh, cita soñada...!

consulto me dice una cosa diferente. Anoche, por ejemplo, llamé a mi madre y le pregunté qué debería regalarle a Michael, y ella me propuso unos calzoncillos de seda tipo bóxer.

¡¡¡Pero no puedo regalarle a Michael ROPA INTERIOR!!!

Ojalá mi madre se diera prisa y tuviera ya al bebé para que deje de comportarse de una manera tan extraña. En su actual estado de desequilibrio hormonal no me resulta de mucha ayuda.

Desesperada, le pregunté a mi padre qué debería comprarle a Michael, y él contestó que una pluma para que me escriba cartas durante los períodos que pase en Genovia, en lugar de que yo me pase el día llamándole y arruinando al Banco de Genovia.

Muy bien, papá. Como si alguien escribiera con pluma en la actualidad.

Y, por si no lo recuerdas, solo voy a pasar las Navidades y los veranos en Genovia, según lo acordado el pasado mes de septiembre, ¿vale?

Una pluma. Sí, claro. ¿Es que soy la única persona de mi familia con un mínimo de romanticismo en la sangre?

Glups, voy a tener que dejar de escribir. El padre Christoff está mirando hacia aquí. Pero es culpa suya: no escribiría en mi diario durante una misa si sus sermones fueran menos soporíferos.

12.00 h-14.00 h
Almuerzo con la directora de la Ópera Real de Genovia, primera mezzosoprano
Creía que yo era quisquillosa con la comida, pero resulta que las mezzosopranos son incluso más quisquillosas que las princesas.

El grano está creciendo desproporcionadamente, aunque anoche, antes de acostarme, me apliqué pasta de dientes.

15.00 h-17.00 h
Reunión con la Asociación de Propietarios de Genovia
Sería de esperar que, cuando menos, la Asociación de Propietarios estuviese de mi lado en cuanto al asunto de los parquímetros, ¿no? A fin de cuentas, es frente a sus casas donde los turistas siguen aparcando. Sería de esperar que buscaran más fuentes de ingresos públicos para reparar las aceras. Pero NOOOOOOOOOOOO...

Juro que no entiendo cómo mi padre puede ser capaz de soportar esto a diario. Lo juro.

19.00 h-22.00 h
Cena formal con el embajador de Chile y su esposa
Enorme controversia debido al detalle de René de «coger prestado» el Porsche descapotable del embajador (y a su esposa) para acercarse a Montecarlo después del postre. La pareja fue finalmente encontrada jugando al tenis en la pista real.

Por desgracia, jugaban al *strip*-tenis.

Ocho días para volver a verle. ¡Oh, dicha! ¡Oh, éxtasis!

Lunes, 12 de enero, 1.00 h, aposento real de Genovia

Acabo de colgar el teléfono después de hablar con Michael. Tenía que llamarle. No tenía elección. Tenía que saber qué quería que le regalara por su cumpleaños. Sí, sé que eso es hacer trampa (preguntarle a alguien lo que quiere), pero es que no había manera de que se me ocurriese nada. Si yo fuera del estilo de Kate Bosworth, ya le habría comprado, por supuesto, el mejor regalo, quizá una bonita pulsera de la amistad de algas marinas tejidas con mis propias manos, o algo así.

Pero yo no soy Kate Bosworth. ¡Yo ni siquiera sé tejer! ¡¡¡¡¡¡OH, DIOS MÍO, NI SIQUIERA SÉ TEJER!!!!!!

Tengo que regalarle algo muy bueno, visto que lo olvidé por completo. Su cumpleaños, quiero decir. Y, claro, también está el detalle de que tiene que cargar con una princesa sin talento como novia, en lugar de con la genial Kate Bosworth, que sabe surfear y tejer y está realizada y nunca le salen granos y demás. Tengo que regalarle algo tan fabuloso que le haga olvidar que no soy sino una novata que no sabe surfear, que se muerde las uñas y que para colmo ha nacido en el seno de la realeza.

Michael, cómo no, ha dicho que no quiere nada, que yo soy todo cuanto necesita (¡¡¡si pudiera creerlo!!!), y que me verá dentro de ocho días y que ese será el mejor regalo que nadie podría hacerle.

Esto parece indicar que realmente podría estar enamorado de mí y no quererme solo como a una amiga. Por supuesto, tendré que consultarlo con Tina para ver qué opina ella, pero yo diría que, hoy por hoy, ¡¡¡todos los indicios apuntan a que sí!!!

Pero, claro, solo lo dice. Que no quiere nada por su cumpleaños, me refiero. Tengo que comprarle algo. Algo especial. Pero ¿qué?

En fin, de todos modos tenía un motivo para llamarle. No lo hice solo para oír su voz y eso. Quiero decir que aún no he llegado a esos extremos.

Oh, vale, tal vez sí. ¿Cómo voy a evitarlo? Llevo más o menos toda la vida enamorada de Michael. Me encanta cómo pronuncia mi nombre. Me encanta cómo se ríe. Me encanta cómo me pide mi opinión, como si realmente le importara lo que yo pienso. (Sabe Dios que es algo que por aquí no le pasa a nadie. Hago una sugerencia, como, por ejemplo, ahorrar agua apagando por la noche la fuente que hay frente al palacio, cuando, de todos modos, nadie pasa por allí, y todos se comportan como si una de las armaduras que se exhiben en el Gran Salón se hubiese puesto a hablar.)

Bueno, vale, mi padre no. Pero le veo menos aquí, en Genovia, que en casa, porque está muy atareado entre las reuniones parlamentarias y las regatas y las citas con Miss República Checa.

En fin. El caso es que me gusta hablar con Michael. ¿Qué tiene eso de malo? Quiero decir que, a fin de cuentas, es mi novio.

¡Ojalá fuese más digna de él! Me refiero a que, entre olvidar su cumpleaños y ser incapaz de dar con el regalo ideal, no se me está dando nada bien esto de ser su novia, a diferencia de él. ¡Es un milagro que siga interesado por mí!

El caso es que estábamos despidiéndonos después de haber mantenido una más que agradable conversación sobre la Asociación de Olivareros de Genovia y sobre el grupo de música que está intentando crear —¡tiene tanto talento!— y sobre si está un poco fuera de lugar llamar a un grupo de música Lobotomía Frontal, y yo estaba reuniendo el valor para decirle: «Te echo de menos» o «Te quiero», dándole pie así a que él me dijera algo similar y quedara resuelto de una vez por todas el dilema de me-quiere-como-a-una-amiga-o-está-enamorado-de-mí, cuando oí a Lilly de fondo: quería hablar conmigo.

Michael contestó:

—Lárgate.

Pero Lilly siguió gritando:

—Tengo que hablar con ella. Acabo de recordar que tengo que preguntarle algo muy importante.

Entonces Michael dijo:

—No se lo digas.

Y a mí me dio un vuelco el corazón porque creí que Lilly acababa de recordar que Michael sí había estado saliendo a mis espaldas con alguna chica llamada Anne Marie. Antes de que pudiera mediar palabra, Lilly le había arrebatado el teléfono a Michael; le oí gruñir, supongo que de dolor porque ella le había dado una patada o algo así, y después oí a Lilly:

—Oh, Dios mío, olvidé preguntártelo. ¿La has visto?

—Lilly —contesté. Incluso a dieciséis mil kilómetros de distancia podía percibir el dolor de Michael. Y es que Lilly golpea con fuerza. Lo sé porque he sido el objeto de varias patadas suyas en el transcurso de los años—. Sé que estás acostumbrada a tenerme para ti sola, pero vas a tener que aprender a compartirme con tu hermano. Ahora, si para ello tenemos que establecer ciertos límites en nuestra relación, supongo que habrá que hacerlo. Pero no puedes ir por ahí arrancándole el teléfono de las manos a Michael cuando podría estar diciéndome algo de suma importancia para…

—Deja de hablar de mi bendito hermano aunque sea por un minuto, ¿vale? ¿La has visto?

−¿Ver qué? ¿De qué me hablas? −Creí que quizá alguien había intentado saltar otra vez al recinto del oso polar en el zoológico de Central Park.

−La película −contestó Lilly−. Sobre tu vida. La que emitieron por la tele la otra noche. ¿O acaso no sabías que han hecho una película sobre tu vida?

La noticia no me sorprendió demasiado. Ya me habían avisado de que el proyecto estaba en marcha. Pero el personal de marketing de palacio me había asegurado que la película no se emitiría hasta pasado febrero. Les habían colado un gol.

Genial. Ya circulan por ahí cuatro biografías mías no autorizadas. Una de ellas encabezó la lista de ventas durante medio segundo. La leí. No era tan buena, aunque quizá no me lo pareció porque ya me sabía el argumento, claro.

−¿Y? −le dije.

Estaba un poco enfadada con Lilly. O sea, ¿le había quitado el teléfono a Michael para hablarme de una estúpida película?

−¡Eoh! −insistió Lilly−. Una película. Sobre tu vida. Te retrataba tímida y patosa.

−Soy tímida y patosa −le recordé.

−Y retrataba a tu abuela amable y compasiva con tu difícil situación −añadió Lilly−. Es la caracterización más burda que he visto desde que en *Shakespeare enamorado* intentaron hacer pasar al Bardo por un macizorro con dentadura impecable.

−Oh, terrible −dije−. Y ahora, ¿podría acabar de hablar con Michael?

−Ni siquiera me has preguntado cómo me retrata a mí −dijo Lilly con tono reprobatorio−, tu leal y mejor amiga.

−¿Cómo te mostraba, Lilly? −le pregunté, mirando el lujoso reloj que había en la repisa de la lujosa chimenea que hay en mi lujoso dormitorio–. Y resume, que dentro de siete horas tengo que asistir a un desayuno oficial y luego ir a montar a caballo con la Sociedad Ecuestre de Genovia.

–Me retratan como si no te apoyara en tu condición de princesa –casi gritó Lilly al teléfono–. ¡Como si después de que te hiciesen ese ridículo corte de pelo yo me mofara de ti por ser una persona frívola y esclava de la moda!

–Ya –contesté, esperando a que llegara al meollo, porque era evidente que Lilly no me había apoyado demasiado con mi corte de pelo ni con mi condición de princesa.

Pero resultó que Lilly ya había llegado a la esencia de su diatriba.

–¡Siempre te he apoyado en tu condición de princesa! –chilló al teléfono, obligándome a alejarme un poco el auricular de la oreja para no perder los tímpanos–. ¡He sido la amiga que más te ha apoyado todo este tiempo!

Era una mentira tan flagrante que creía que Lilly estaba de broma, así que me eché a reír. Pero entonces me percaté de que mi risa solo provocaba un silencio gélido. Estaba muy seria. Por lo visto, Lilly tiene memoria selectiva: recuerda todo lo bueno que ha hecho, pero nada de lo malo. Más o menos como los políticos.

Porque, obviamente, si fuera verdad que Lilly me ha apoyado tanto, no me habría hecho amiga de Tina Hakim Baba, con quien empecé a sentarme a la hora del almuerzo el pasado mes de octubre porque Lilly no me hablaba, a consecuencia de todo este asunto de ser princesa.

–Sinceramente –dijo al fin–, espero que te estés riendo de la idea de que alguna vez he sido menos que una buena amiga para ti, Mia. Sé que hemos tenido nuestros más y nuestros menos, pero si alguna vez fui dura contigo, fue solo porque creía que te estabas engañando.

—Hum —contesté—. Vale.

—Voy a enviar una carta —prosiguió Lilly— al estudio que produjo esa basura difamatoria, exigiéndoles disculpas por escrito por ese irresponsable guión. Y si no nos las presentan ni las publican a toda página en *Variety*, los demandaré. No me importa si tengo que llevar el caso al Tribunal Supremo. Esos tipos de Hollywood creen que pueden soltar lo que quieran delante de una cámara y que los telespectadores se lo tragarán. Pues bien, es probable que el resto de la plebe lo haga, pero yo voy a luchar porque se hagan retratos más honestos de las personas y los hechos reales. ¡El hombre no va a postrarme!

Le pregunté a Lilly qué hombre, creyendo que se refería al director o algo, y ella soltó:

—¡El hombre! ¡El hombre! —Como si yo no fuera muy despierta, precisamente.

Entonces Michael recuperó el auricular y me explicó que «el hombre» es una alusión metafórica a la autoridad y que, debido a que los psicoanalistas freudianos culpan de todo a «la madre», los músicos de blues tradicionalmente culpan de sus desgracias al «hombre». Tradicionalmente, me informó Michael, «el hombre» es blanco, acomodado, de mediana edad y con una posición de considerable poder sobre los demás.

Comentamos la posibilidad de que llamara a su banda El Hombre, pero desestimamos la idea por las posibles connotaciones misóginas.

Siete días para volver a estar en los brazos de Michael. ¡Oh, que las horas vuelen tan raudas y aladas como palomas!

Eh, acabo de darme cuenta… ¡La descripción que ha hecho Michael de «el hombre» recuerda bastante a mi padre! Aunque dudo de que todos esos músicos de blues se estuvieran refiriendo al príncipe de Genovia. Que yo sepa, mi padre nunca ha estado en Memphis.

Lunes, 12 de enero, programa real de actividades diarias

20.00 h-24.00 h
Sinfonía Real de Genovia

Justo cuando parece que quizá, solo quizá, las cosas podrían estar empezando a ponerse de mi parte, siempre tiene que pasar algo que lo eche todo por tierra.

Como de costumbre, ha sido Grandmère.

Supongo que esta mañana, al verme tan somnolienta, dedujo de inmediato que me había pasado toda la noche despierta hablando con Michael. Así que esta mañana, entre el paseo a caballo con la Sociedad Ecuestre y la reunión con la Sociedad para el Desarrollo del Litoral de Genovia, Grandmère se sentó a mi lado y me soltó un sermón. En esta ocasión no versó sobre los regalos socialmente aceptables para un chico por su cumpleaños, sino sobre las «elecciones apropiadas».

—Está muy bien —dijo Grandmère— que te guste «ese chico», Amelia.

—¡Por supuesto que está bien! —grité con justificada indignación—. Además, ni siquiera le conoces. ¿Qué sabes de Michael? ¡Nada!

Grandmère me miró, irritada.

—Sin embargo —prosiguió—, no me parece sensato por tu parte que permitas que el afecto que sientes por ese tal Michael te ciegue ante otros consortes más adecuados, como por ejemplo…

La interrumpí para advertirle de que si pronunciaba las palabras «príncipe Guillermo», me tiraría del Pont des Vièrges.

Grandmère me dijo que no fuera más ridícula de lo que ya soy, y que de todos modos no podría casarme con el príncipe Guillermo, pues es miembro de la Iglesia anglicana. No obstante, por lo visto, hay otros compañeros sentimentales infinitamente más convenientes que Michael para una princesa de la casa real Renaldo. Y Grandmère dijo que detestaría que yo desperdiciara la oportunidad de conocer a esos otros jóvenes solo porque creo estar enamorada de Michael. Me aseguró que, si se invirtiera la situación y Michael fuera el heredero al trono y de una fortuna considerable, dudaba mucho de que él demostrara la escrupulosa lealtad con que yo estoy actuando ahora.

Protesté ante esta afirmación sobre la personalidad de Michael. Informé a Grandmère de que si se hubiese molestado en conocerle, se habría dado cuenta de que en todos los aspectos de su vida, desde el de ser director de su ahora difunta *Crackhead* al de su función como tesorero del Club de Informática, Michael no ha hecho gala de otra cosa que de una lealtad e integridad extremas. También le expliqué, con toda la paciencia de que fui capaz, que me duele oírle decir cosas negativas del hombre al que he entregado mi corazón.

—Se trata precisamente de eso, Amelia —prosiguió Grandmère, poniendo en blanco sus temibles y desdeñosos ojos—. Eres demasiado joven para entregarle el corazón a nadie. Me parece muy poco sensato por tu parte decidir, a los catorce años de edad, con quién vas a compartir el resto de tu vida. A menos, claro está, que se tratara de alguien muy muy especial. Alguien a quien tu padre y yo conozcamos. Y muy bien. Alguien que, aunque parezca algo inmaduro, probablemente solo necesite estar con la mujer adecuada para sentar cabeza. Las chicas maduran mucho más deprisa que los hombres, Amelia…

Volví a interrumpir a Grandmère para informarle de que dentro de cuatro meses cumpliré quince años, también de que Julieta tenía mi edad cuando se casó con Romeo. A lo que Grandmère repuso:

—Sí, y esa relación acabó muy bien, ¿verdad?

Está claro que Grandmère no se ha enamorado nunca. Además, no tiene el menor criterio ni sensibilidad para valorar la tragedia romántica.

—En cualquier caso —añadió Grandmère—, si lo que quieres es conservar a «ese chico», lo estás haciendo muy mal.

Me pareció muy insensible por parte de Grandmère sugerir que, llevando solo veinticinco días con un novio de verdad, tiempo durante el cual he hablado con él exactamente tres veces y por teléfono, ya corría el peligro de perderle por alguien con ojos multicolor, y así se lo hice saber.

—De acuerdo, Amelia. Lo siento mucho —se disculpó Grandmère—, pero no creo que sepas a lo que te enfrentas si es cierto que realmente quieres conservar a ese joven.

Juro que no sé qué me dio en ese instante, pero fue como si toda la presión que había ido acumulando (el asunto de los parquímetros; la ausencia de Michael; de mamá y de Fat Louie; lo que iba a decirle al príncipe Guillermo; el grano…) rebasara de repente el límite, porque me sorprendí espetándole:

—¡¡¡Por supuesto que quiero conservarle!!! Pero ¿¿¿CÓMO voy a conseguirlo siendo un BICHO RARO de princesa no realizada, sin talento, sin pechos y sin ningún parecido con Kate Bosworth???

Grandmère pareció algo sorprendida de mi arrebato. Creo que no sabía qué afirmación empezar a rebatir: si mi falta de realización personal o mi falta de pechos. Finalmente, optó por decir:

—Tal vez podrías empezar por no colgarte al teléfono con él hasta altas horas de la madrugada. No le das ninguna oportunidad para que dude de tus sentimientos.

—Pues claro que no —contesté horrorizada—. ¿Por qué iba a hacer eso? ¡Le amo!

—¡Pero no deberías hacérselo saber! —Grandmère parecía a punto de echarme encima su Sidecar de media mañana—. ¿Tan lerda eres? ¡Jamás permitas que un hombre esté seguro de que le amas! Al principio lo hiciste muy bien, con eso de olvidar su cumpleaños. Pero ahora lo estás estropeando todo con tantas llamadas. Si «ese chico» averigua lo que en verdad sientes, dejará de intentar complacerte.

—Pero, Grandmère… —Me sentía confusa—. Tú te casaste con el abuelo. Seguro que él averiguó que tú le amabas si acabasteis casándoos.

—Llámale Grandpère, Mia, por favor. Le debes un respeto. —Grandmère inhaló por la nariz con aire ofendido—. Tu abuelo no «averiguó» mis sentimientos hacia él. Me aseguré de que creyera que solo me casaba con él por su dinero y su título. Y no creo que tenga que recordarte que compartimos cuarenta felices años. Y en el mismo dormitorio —añadió, con cierta malicia—, no como ciertas parejas de la realeza que podría mencionar.

—Eh, espera un momento. —La miré fijamente—. ¿Dormiste en la misma cama de Grandpère cuarenta años pero no le dijiste nunca que le amabas?

Grandmère apuró el Sidecar y posó una mano en la cabeza de Rommel en un gesto afectuoso. Desde que regresó a Genovia y se le diagnosticó el trastorno de comportamiento obsesivo compulsivo, Rommel ha empezado a recuperar el pelo, gracias al cono de plástico que lleva alrededor de la cabeza. Le ha salido una pelusilla blanca por todo el cuerpo, como si fuera un polluelo. Aunque ni así parece menos repulsivo.

—Eso —dijo Grandmère— es precisamente a lo que me refiero. Mantuve a tu abuelo en vilo y él lo disfrutó en todo momento. Si quieres conservar a ese tal Michael, te sugiero que hagas lo mismo. Deja de llamarle todas las noches. Deja de negarte a mirar a otros chicos. Y deja de obsesionarte con lo que vas a regalarle por su cumpleaños. Debería ser él quien se obsesionara por qué es lo que va a regalarte para alimentar tu interés por él, y no al revés.

–¿A mí? ¡Pero si mi cumpleaños no es hasta mayo! –No quise decirle que ya había decidido qué iba a regalarle a Michael porque, bueno, lo había birlado de la trastienda del museo del Palais de Genovia.

En realidad, nadie lo usaba, así que no veo por qué no iba a poder hacerlo. Al fin y al cabo, soy la princesa de Genovia. Al fin y al cabo, soy dueña de todo lo que contiene el museo. O al menos lo es la familia real.

–¿Quién dice que un hombre solamente puede hacerle regalos a una mujer por su cumpleaños? –Grandmère me miraba desesperada como a un *Homo sapiens*. Alzó una muñeca. De ella colgaba una pulsera que se pone muy a menudo, una con diamantes del tamaño de una moneda de un céntimo de euro–. Tu abuelo me la regaló un cinco de marzo, hará unos cuarenta años. ¿Por qué? El cinco de marzo no es mi cumpleaños, ni ninguna festividad especial. Tu abuelo me la regaló ese día solo porque creía que esta pulsera, como yo, era exquisita. –Devolvió la mano a la cabeza de Rommel–. Así, Amelia, es como un hombre debería tratar a la mujer que ama.

Lo único que pude pensar era: «Pobre Grandpère». Seguro que no tenía ni idea de lo que le esperaba con Grandmère, que de joven fue una preciosidad, antes de tatuarse los párpados y afeitarse las cejas. Estoy segura de que al abuelo le bastó mirarla desde el otro lado de aquella pista de baile donde se conocieron cuando él solo era el apuesto heredero al trono y ella una coqueta debutante, para quedarse petrificado, como un graffitero sorprendido por las luces de un coche de policía, sin saber lo que se le avecinaba…

Años de estratagemas psicológicas y Sidecares.

—No creo que yo pueda ser así, Grandmère —le dije—. Me refiero a que no quiero que Michael me regale diamantes. Solo quiero que me invite a ir con él al baile de graduación.

—Pues no lo hará —repuso Grandmère— si no cree que existe la posibilidad de que estés considerando ofertas de otros chicos.

—¡Grandmère! —Estaba atónita—. ¡Nunca iría a ese baile con otro chico! —Tampoco es que nadie más vaya a pedírmelo, claro, pero este detalle me pareció secundario.

—Pero no debes permitir que lo sepa, Amelia —insistió Grandmère muy severa—. Debes hacer que siempre dude de tus sentimientos, mantenerle siempre en vilo. A los hombres les gusta la caza, pero, en cuanto consiguen la presa, suelen perder todo el interés. Toma. Quiero que leas esto. Creo que ilustra a la perfección lo que trato de decirte.

Grandmère había sacado un libro de su bolso Gucci y me lo tendió. Lo miré incrédula.

—¿*Jane Eyre*? —No podía creerlo—. Grandmère, ya he visto la película. Y, con todos mis respetos, es muy aburrida.

—La película… —repitió Grandmère con un suspiro desdeñoso—. Lee el libro, Amelia, y trata de aprender algo sobre la relación entre hombres y mujeres.

—Grandmère —insistí, sin saber exactamente cómo hacerle entender que estaba del todo desfasada—, creo que hoy en día la gente que quiere saber cómo se relacionan hombres y mujeres leen *Los hombres son de Marte, las mujeres son de Venus*.

—¡LÉELO! —gritó Grandmère, tan alto que hizo saltar a Rommel de su regazo del susto. El chucho salió despavorido a refugiarse detrás de un geranio.

Juro que no sé lo que he hecho para merecer una abuela como la mía. La abuela de Lilly adora y venera a su novio, Boris Pelkowski. Le envía *tupperwares* de *kreplach* y otros platos. No sé por qué me ha tenido que tocar a mí una abuela que intenta que rompa con un chico con el que solo llevo saliendo veinticinco días.

Siete días, seis horas y cuarenta y dos minutos para volver a verle.

Martes, 13 de enero, programa real de actividades diarias

8.00 h-10.00 h
Desayuno con miembros de la Sociedad Shakesperiana Real de Genovia
Jane Eyre es muy aburrido. Hasta ahora solo salen orfanatos, cortes de pelo horribles y mucha tos.

10.00 h-16.00 h
Sesión del Parlamento de Genovia
Jane Eyre va mejorando: ha conseguido un trabajo como institutriz en casa de un tipo muy rico, el señor Rochester. El señor Rochester es muy mandón, como Lobezno, o como Michael.

17.00 h-19.00 h
Té con Grandmère y la esposa del primer ministro de Inglaterra
El señor Rochester: guay. Lo incluyo en mi lista de «Los tíos más buenos», entre Hugh Jackman y ese tipo croata que sale en *Urgencias*.

20.00 h-22.00 h
Cena de Estado con el primer ministro de Inglaterra y su familia
¡Jane Eyre es tonta de remate! ¡No fue culpa del señor Rochester! ¿Por qué es tan mala con él?
   Y Grandmère no debería gritarme por leer en la mesa. Al fin y al cabo, fue ella quien me dio el libro.

Seis días, once horas y veintinueve minutos para volver a verle.

Miércoles, 14 de enero, 3.00 h, aposento real de Genovia

Vale, supongo que ya sé lo que Grandmère pretendía con este libro. Pero, en serio, la parte en que la señora Fairfax advierte a Jane que no le ofrezca demasiada confianza al señor Rochester antes de la boda se debe a que en aquellos tiempos no existía ningún método de control de la natalidad.

Aun así —y quizá debería consultárselo a Lilly—, estoy bastante segura de que no es precisamente prudente moldear la conducta de alguien a partir de los consejos de un personaje de ficción, sobre todo de un personaje salido de una novela escrita en 1846.

De todos modos, creo haber captado la esencia de las palabras de la señora Fairfax: no persigas a los chicos. Perseguir a los chicos es malo. Perseguir a los chicos puede provocar cosas horribles, como incendios en mansiones, amputaciones de manos y ceguera. Respétate a ti misma y no permitas que nada vaya demasiado lejos antes de la boda.

Lo capto. De verdad, lo capto.

Pero ¿¿¿qué va a pensar Michael si dejo de llamarle sin más??? ¡¡¡Me refiero a que es posible que crea que ya no me gusta!!! Y no se puede decir que hasta ahora lo haya hecho muy bien, la verdad. Quiero decir que, como novia, soy un desastre. No se me da bien nada, no me acuerdo del cumpleaños de la gente y SOY UNA PRINCESA.

Supongo que a eso se refería Grandmère. Supongo que es así como se debe mantener en vilo a los chicos.

No sé… Aunque parece que a Grandmère le funcionó. Y, al final, también a Jane. Quizá podría intentarlo…

Pero no será fácil. Ahora mismo son las nueve de la noche en Florida. ¡A saber qué estará haciendo Michael! Podría haber bajado a la playa para dar un paseo y haber conocido a alguna chica guapa, que vive en el paseo marítimo y se gana la vida con los turistas, para quienes toca, pese a su timidez, canciones folclóricas tradicionales con su Stratocaster. Por saber, yo no sé ni tocar los chinchines.

Apuesto a que lleva ropa con flecos y es tetona y tiene los dientes perfectos… Ningún chico pasaría de largo ante una chica así.

No. Grandmère y la señora Fairfax tienen razón. Tengo que resistirme. Tengo que resistir el impulso de llamarle. Los hombres pierden el oremus cuando de pronto una se vuelve menos accesible, como en *Jane Eyre*.

Aunque me parece que cambiarme el nombre y huir a otro lugar para vivir relaciones a distancia como Jane quizá sería un tanto excesivo. Por muy atractiva que parezca la idea…

Cinco días, siete horas y veinticinco minutos para volver a verle.

Miércoles, 14 de enero, programa real de actividades diarias

8.00 h-10.00 h
Desayuno con la Sociedad de Medicina de Genovia
Estoy cansadísima. Es la última vez que me acuesto tarde por leer literatura del siglo XIX.

10.00 h-16.00 h
Sesión del Parlamento de Genovia
¡Discurso obstruccionista del ministro de Economía! ¡Dice que Genovia tendrá parquímetros, o morirá!

17.00 h-19.00 h
Sesión del Parlamento de Genovia
Sigue el discurso obstruccionista. Me gustaría salir a por un refresco, pero me temo que sería un gesto poco solidario.

20.00 h-22.00 h
Sesión del Parlamento de Genovia
No lo aguanto más. El discurso obstruccionista es demasiado aburrido. Además, René acaba de asomar la cabeza y ha sonreído al verme. Que se mofe si quiere. Él no tendrá que gobernar un país algún día.

Jueves, 15 de enero, cena de Estado en el vecino Mónaco

Grandmère finalmente reparó en mi grano. Supongo que la idea de que fuera a conocer al príncipe Guillermo con un grano gigante en la barbilla definitivamente era demasiado para ella, y se puso histérica. Le dije que tenía la situación bajo control, pero parece que Grandmère no le profesa tanta fe como yo a la pasta de dientes como producto cosmético. Llamó de inmediato al dermatólogo real. Este me inyectó algo en la barbilla y me dijo que dejara de ponerme dentífrico en la cara.

Por lo visto no sé solucionar bien ni un grano. ¿Cómo voy a gobernar un país?

LO QUE DEBO HACER ANTES DE IRME DE GENOVIA

1. Encontrar un lugar seguro donde esconder el regalo de Michael para que ni mi abuela ni las entrometidas damas de honor lo encuentren mientras me hacen la maleta. (¿Qué tal dentro de una de mis botas militares?)
2. Despedirme del personal de cocina y darle las gracias por la comida vegetariana.
3. Asegurarme de que el capitán del puerto ha colgado unas tijeras en todas las boyas del puerto, para que los turistas que fondean con sus yates y que han olvidado las suyas puedan cortar los aros de plástico de los *packs* de seis latas.
4. Quitarle a la estatua de Grandmère que hay en el Salón de los Retratos la nariz y las gafas de broma.
5. Practicar el discurso que me han preparado para cuando me presenten al príncipe Guillermo. También el de despedida del príncipe René, por cierto.

6. Superar el récord de François (seis metros y medio) de deslizamiento en calcetines en el Salón de Cristal.
7. Dejar libres todas las palomas del palomar de palacio (si después quieren volver, vale, pero deben tener la posibilidad de elegir).
8. Informar a *tante* Jeanne Marie de que estamos en el siglo XXI y que las mujeres ya no tienen que vivir con el estigma del vello facial, y prestarle mi crema decolorante.
9. Hacerle llegar al ministro de Economía la información sobre fabricantes de parquímetros que encontré en internet.
10. Recuperar el cetro de manos del príncipe René.

Viernes, 16 de enero, 23.00 h, aposento real de Genovia

Ayer Tina se pasó todo el día leyendo *Jane Eyre* por recomendación mía y coincide conmigo en que en el asunto este de dejar-que-los-chicos-te-persigan-en-lugar-de-perseguirlos podría haber algo de cierto. Por eso ha decidido no enviar mensajes de correo electrónico ni llamar a Dave (a menos que él escriba o llame antes, claro está).

De todos modos, Lilly se niega a participar en este ardid, pues dice que los juegos son para los niños y que la relación que mantiene con Boris no puede calificarse de prácticas de apareamiento psicosexuales modernas. Según Tina —no puedo llamar a Lilly, porque Michael podría contestar al teléfono y entonces creería que estoy persiguiéndole—, Lilly dice que *Jane Eyre* fue uno de los primeros manifiestos feministas y que le parece muy bien que lo utilicemos como modelo en nuestras relaciones sentimentales. Aunque me envió una advertencia por mediación de Tina: no debería esperar que Michael me pida que me case con él hasta que, como mínimo, se haya licenciado en la universidad y tenga un puesto estable en una empresa que le pague un mínimo de doscientos mil dólares al año, incentivos aparte.

Lilly añadió que la vez que le vio montar a caballo, Michael no parecía nada romántico, de modo que no debería albergar demasiadas esperanzas de que vaya a convertirse en breve en un jinete experto, como el señor Rochester.

Pero me cuesta creerlo. Estoy segura de que Michael debe de estar muy atractivo montando a caballo.

Tina comentó que Lilly sigue disgustada por la película sobre mi vida que emitieron el otro día por televisión. Ella también la vio, pero no le pareció tan horrible como Lilly insiste en calificarla. Dice que la actriz que encarna a la directora Gupta es graciosísima.

Aunque ella no sale en la película, pues su padre supo que la estaban filmando y amenazó a los productores con denunciarlos si mencionaban una sola vez el nombre de su hija. Al señor Hakim Baba le preocupa mucho que algún jeque petrolífero rival la rapte. Tina dice que no le importaría que eso ocurriese si el jeque petrolífero rival fuese mono y estuviese dispuesto a comprometerse en una relación duradera y se acordara de regalarle unos pendientes de diamantes el día de los Enamorados.

Tina dice que la chica que encarna a Lana Weinberger en la película lo hace de maravilla y que se merece un Emmy. Y también que no cree que a Lana vaya a gustarle cómo la retratan: una niñata frustrada y envidiosa.

Y también que el chico que encarna a Josh es guapísimo. Tina está intentando conseguir su dirección de correo electrónico.

Tina y yo nos prometimos que si alguna de las dos siente tentaciones de llamar a su novio, en lugar de hacerlo llamará a la otra. Por desgracia, yo no tengo móvil, así que no creo que Tina vaya a poder localizarme cuando yo esté armando caballero a alguien o algo así. Pero mañana mismo pienso pedirle a mi padre un Motorola. Eh, soy la heredera del soberano de todo un país. Al menos debería tener un busca.

Cuatro días, doce horas y cinco minutos para volver a verle.

Sábado, 17 de enero,
Torneo Real de Polo de Genovia

¿Podría haber un deporte más aburrido que el polo? Aparte del golf, quiero decir. No lo creo.

Además, tampoco creo que sea muy bueno para los caballos eso de dar golpes con los mazos tan cerca de sus cabezas. Es como Plata, el caballo del Llanero Solitario. El Llanero Solitario no hacía más que desenfundar pistolas junto a las orejas de Plata. No me extraña que el pobre se encabritara cada dos por tres.

Además, René no está teniendo un espíritu muy deportivo con el príncipe Guillermo, la verdad. Cabalga siempre delante de él y le roba la pelota siempre que tiene ocasión… ¡y se supone que juegan en el mismo equipo!

Lo juro: si gana el equipo de René y él se quita la camiseta y la ondea sobre la cabeza, sabré que lo hace solo para alardear delante de las hordas de admiradoras del príncipe Guillermo que hay entre el público. Lo cual supongo que es comprensible. Quizá le esté desconcertando que Guille sea mucho más popular que él. Y eso que René tiene unos pectorales impresionantes.

Ojalá supieran todas esas chicas lo del *playback* de Enrique Iglesias delante del espejo…

Tres días, diecisiete horas y seis minutos para volver a verle. Hablando de pectorales impresionantes…

sábado, 17 de enero, 23.00 h, aposento real de Genovia

Grandmère va a tener que hacérselo mirar.

Esta noche se ha celebrado el Baile de Despedida, ya sabes, para celebrar el final de mi primera visita oficial a Genovia en mi condición de heredera al trono.

Grandmère llevaba semanas hablando de este baile, como si fuera a ser mi gran oportunidad para redimirme del asunto de los parquímetros. Por no hablar del factor «príncipe Guillermo». De hecho, entre eso y el asunto de no-pensar-en-Michael-como-consorte-apropiado, ha estado pesadísima. Y si a todo esto le sumo la ansiedad de saber que mi novio podría estar en este mismo instante recibiendo clases de surf de alguna chica del estilo Kate Bosworth y sin granos, es un milagro que mi cutis no se parezca al del tipo aquel que encerraban en el sótano en *Los goonies*.

En fin. Así que mi abuela monta una tragedia con mi pelo —que sigue creciendo y vuelve a adoptar la forma triangular, pero ¡a quién le importa!, porque se supone que a los chicos les gustan más las chicas con el pelo largo que con el pelo corto; lo leí en la revista francesa *Cosmo*—, y monta una tragedia con mis uñas —vale, a pesar de mi buen propósito de Año Nuevo, sigo mordiéndomelas; puedes denunciarme: el hombre me está postrando—, y monta una tragedia con lo que voy a decirle al príncipe Guillermo.

Y entonces, después de todo eso, vamos al estúpido baile y yo me acerco a Guille —aunque mi corazón siga perteneciendo a Michael, lo admito: estaba impresionante con el esmoquin— y me dispongo a decirle: «Es un placer conocerle», pero en el último segundo olvido con quién estoy hablando, porque él se da media vuelta y clava en mí esos ojos superazules, como un par de focos halógenos, y me quedo petrificada, justo igual que cuando Josh Richter me sonrió en el Bigelow's Drugstore. En serio, era como si no recordase dónde estaba ni qué hacía allí. Me quedé mirando aquellos ojos azules y me dije: «¡Oh, Dios mío! Son del color del mar que veo desde la ventana de mi aposento real».

Entonces el príncipe Guillermo me dice: «Es un placer conocerla» y me estrecha la mano, y yo sigo mirándole fijamente, aunque ni siquiera me gusta en ese sentido. ESTOY ENAMORADA DE MI NOVIO.

Pero supongo que eso es lo que pasa con él, porque tiene ese carisma especial, del estilo de Bill Clinton (aunque no le conozco, solo lo he leído).

En fin. Eso ha sido todo. ¡Esa ha sido toda mi interacción con el príncipe Guillermo de Inglaterra! Después de saludarme, se ha vuelto para responder a las preguntas que alguien le hacía sobre caballos de pura sangre, y yo he soltado un: «Oh, mira, champiñones guisados» para disimular mi espantosa mortificación y he empezado a perseguir al lacayo que llevaba la bandeja y los ofrecía a los invitados. Y hasta aquí. Fin.

Huelga decir que no he conseguido su dirección de correo electrónico. Tina va a tener que aprender a convivir con la desilusión.

Ah, pero mi velada no ha acabado ahí. No del todo. Poco sabía yo que se avecinaba mucho, mucho más, en forma de Grandmère empujándome toda la noche en dirección al príncipe René, para que bailáramos delante del reportero del *Newsweek*, que está en Genovia cubriendo la transición de nuestro país al euro. JURÓ que ese era el único motivo de su comportamiento: la fotografía.

Pero entonces, mientras bailábamos —lo cual, por cierto, se me da fatal…, bailar, quiero decir; consigo coordinar los pies si me los miro y cuento mentalmente, pero nada más, y solo si es una canción lenta, pero ¿sabes qué?, en Genovia no bailan canciones lentas, al menos, no en palacio—… Pues eso, mientras bailábamos he visto que Grandmère iba de un lado a otro señalándonos y centrando la atención de todo el mundo en nosotros, y no hacía falta saber leer los labios para adivinar que les estaba diciendo: «¿No hacen una pareja encantadora?».

¡¡¡¡¡¡¡¡¡¡¡¡¡PUAJ!!!!!!!!!!!!!!!!

De modo que, al acabar el baile, y solo por si a Grandmère se le estaba ocurriendo alguna idea malévola, me he acercado a ella y le he espetado: «Grandmère, estoy dispuesta a ceder un poco en el asunto de las llamadas a Michael, pero eso no significa que vaya a empezar a salir con el príncipe René», quien, por cierto, me ha preguntado si me apetecía salir a la terraza a fumar un cigarrillo.

Por supuesto le he dicho que no fumo y que él tampoco debería hacerlo, ya que el tabaco es responsable de millones de muertes anuales solo en Estados Unidos, pero él se ha echado a reír, un poco como James Spader en *La chica de rosa*.

Y entonces le he advertido que no se hiciera ilusiones, que ya tengo novio y que aunque aún no haya visto la película sobre mi vida, sé cómo tratar a los tipos que solo van detrás de mí por las joyas de mi corona.

Y entonces René me ha dicho que era adorable y yo le he contestado: «Oh, por el amor de Dios, deja de emular a Enrique Iglesias», y entonces ha venido mi padre y me ha preguntado si había visto al primer ministro de Grecia y yo le he dicho: «Papá, creo que Grandmère está intentando liarme con René», y entonces a papá se le han tensado los labios y ha llevado aparte a Grandmère y ha tenido «unas palabras» con ella, mientras el príncipe René se escabullía con una de las hermanas Hilton.

Después Grandmère se me ha acercado y me ha dicho que no fuese tan ridícula, que solo quería que el príncipe René y yo bailáramos juntos porque sería una fotografía fantástica para el *Newsweek* y que quizá, si publicaban rumores sobre nosotros, ello atraería un mayor número de turistas.

A lo que he respondido que, a la luz de nuestras maltrechas infraestructuras, un mayor número de turistas es exactamente lo que este país no necesita.

Supongo que si mi palacio lo hubiese comprado sin mi autorización un diseñador de calzado, yo también estaría bastante desesperada, pero no lo pagaría con una chica que carga sobre sus hombros con el peso de todo un pueblo, y que además ya tiene novio.

La parte buena es que si *Newsweek* publica la fotografía, quizá Michael tenga celos de René, igual que el señor Rochester de ese tal St. John, ¡¡¡y se pondrá un poquito más mandón!!!

Dos días, ocho horas y diez minutos para volver a ver a Michael.

¡¡¡¡¡¡¡¡¡¡¡ESTOY IMPACIENTE!!!!!!!!!!!!!!

84

Lunes, 19 de enero, 3.00 h, hora de Genovia, jet de la Genovia Real, 10.600 m de altitud

No puedo creer que:

a) mi padre se haya quedado en Genovia para resolver la crisis de los parquímetros, en lugar de venir conmigo a Nueva York;

b) creyera a Grandmère cuando esta le dijo que, debido a mi dudoso comportamiento en Genovia, mis lecciones de princesa deben continuar;

c) sea ella (por no mencionar a Rommel) la que esté regresando a Nueva York conmigo.

NO ES JUSTO. Yo cumplí con mi parte del acuerdo. Asistí a todas y cada una de las lecciones de princesa que me impartió Grandmère durante el otoño. Pronuncié mi estúpido discurso ante el pueblo de Genovia.

Grandmère dice que, piense lo que piense, aún me queda mucho por aprender sobre el arte de gobernar. Pero se equivoca. Sé que solo vuelve a Nueva York para poder seguir torturándome. Ahora es su afición predilecta. De hecho, me atrevería a decir que podría ser su talento, su don divino.

Al menos es afortunada por tener un don.

Y sí, antes de irme, mi padre me dio cien euros y me dijo que, si mimaba un poco a Grandmère, algún día me recompensaría por ello.

Pero no hay nada que pueda hacer para recompensarme. Nada.

Dice que es solo una anciana inofensiva y que debería intentar disfrutar de ella mientras pueda, porque algún día dejará de estar con nosotros. Le miré como si se hubiese trastornado. Ni siquiera él conseguía mantener la compostura. Me dijo: «Vale, donaré doscientos pavos diarios a Greenpeace si consigues quitármela de encima y que no me vea el pelo».

Lo cual es gracioso, porque por supuesto mi padre no tiene ni uno. Pelo, me refiero.

Eso es el doble de lo que ya está donando en mi nombre a mi organización favorita. Sinceramente, espero que Greenpeace valore el sacrificio supremo que estoy haciendo por ellos.

De modo que Grandmère vuelve conmigo a Nueva York y arrastra consigo a un tembloroso Rommel. Justo cuando él sí empezaba a recuperar el pelo. Pobrecillo.

Le dije a mi padre que soportaría las clases de princesa un semestre más, pero que le dejara clara una cosa de antemano a Grandmère, y es la siguiente: ahora tengo un novio formal. Más le valdrá a Grandmère no intentar sabotear mi relación ni intentar liarme con más príncipes René. No me importa cuántos títulos ostente el chico en cuestión: mi corazón pertenece al señor don Michael Moscovitz.

Mi padre dijo que vería qué podía hacer, pero en realidad no sé si me estaba prestando demasiada atención, ya que Miss República Checa merodeaba cerca, retorciéndose el chal con impaciencia.

En fin. Hace un rato yo misma le dije a Grandmère que será mejor que tenga cuidado con todo lo concerniente a Michael.

—No quiero volver a oír nada de que soy demasiado joven para enamorarme —le dije durante el almuerzo (salmón al vapor para Grandmère, ensalada de tres variedades de judías para mí) que nos habían servido las azafatas del vuelo real—. Soy lo bastante mayor para interpretar los mensajes de mi corazón y eso significa que soy lo bastante mayor para entregárselo a quien yo decida.

Grandmère dijo algo así como que, en tal caso, debería prepararme para que me lo rompan, pero no le hice caso. Que su vida sentimental desde que el abuelo murió haya sido menos que satisfactoria no es motivo para que sea tan cínica conmigo. En mi opinión, eso es lo que consigue saliendo con magnates de la prensa y dictadores y demás.

Por el contrario, Michael y yo vamos a compartir un amor inmenso, como el de Jane y el señor Rochester. O el de Angelina Jolie y Brad Pitt.

O al menos lo compartiremos si conseguimos tener una cita algún día.

Un día y catorce horas para volver a verle.

Lunes, 19 de enero, día de Martin Luther King, en el apartamento, al fin

Estoy tan contenta que creo que podría estallar, como la berenjena que tiré desde la ventana de la habitación de Lilly, que está en la planta dieciséis.

¡¡¡¡¡¡Estoy en casa!!!!!! ¡¡¡¡¡¡Por fin estoy en casa!!!!!!

No tengo palabras para expresar lo bien que me sentí al mirar por la ventanilla del avión y ver acercarse las intensas luces de Manhattan. Se me llenaron los ojos de lágrimas al saber que volvía a estar en el espacio aéreo de mi querida ciudad. Sabía que allí abajo había taxistas atropellando a frágiles ancianitas (por desgracia, no a Grandmère), comerciantes timando con el cambio a los clientes, banqueros abandonando lo que sus perros dejan a su paso, y personas que sueñan con llegar a ser cantantes, actores, músicos, novelistas o bailarines y son aplastadas por despiadados productores, directores, agentes, editores y coreógrafos.

Sí, estaba de vuelta en mi hermosa Nueva York. Por fin regresaba a casa.

Y lo sentí especialmente en cuanto me apeé del avión y vi a Lars esperándome, dispuesto a tomar el relevo como guardaespaldas a François, el tipo que me había cuidado en Genovia y que me había enseñado todos los tacos que sé en francés. Lars tiene un aspecto algo amenazador con su nuevo bronceado. Ha pasado las vacaciones de Navidad con el guardaespaldas de Tina, Wahim, haciendo *snorkel* y cazando jabalíes en Belice. Me trajo un colmillo de recuerdo, aunque obviamente no apruebo el asesinato de animales por placer, ni siquiera de los jabalíes, que no pueden evitar ser feísimos y malísimos.

Y luego, con un retraso de sesenta y cinco minutos, gracias a un accidente en cadena en la autopista, llegué a casa.

¡¡¡Fue fantástico ver a mamá!!! Se le empieza a notar la barriga. Preferí no decírselo, porque aunque ella dice que no cree en el estándar occidental de belleza idealizada y que no hay nada malo en una mujer que use una talla superior a la 36, estoy segura de que si le hubiese dicho algo como: «Mamá, estás enorme», incluso con intención halagadora, se habría echado a llorar. Al fin y al cabo, aún le quedan unos meses.

Así que, en lugar de eso, le dije:

—Ese bebé tiene que ser un niño. O, si no, una niña que se haga tan alta como yo.

—Eso espero —contestó mamá, mientras se enjugaba lágrimas de alegría (o quizá lloraba porque Fat Louie le estaba mordiendo los tobillos para acercarse a mí)—. Así tendría otra tú cuando no estuvieras cerca. ¡Te he echado mucho de menos! No tenía a nadie que me riñera por encargar cerdo asado o sopa de wonton al Number One Noodle Son.

—Yo lo intenté —me aseguró el señor Gianini.

El señor G. también tiene muy buen aspecto. Se está dejando perilla. Fingí que me gustaba.

Entonces me agaché y cogí a Fat Louie, que maullaba para llamarme la atención, y le di un fuerte abrazo. Podría equivocarme, pero creo que ha adelgazado en mi ausencia. No quiero acusar a nadie de haberle hecho pasar hambre deliberadamente, pero me he fijado en que el cuenco del pienso no estaba lleno del todo. Yo siempre tengo el cuenco de Fat Louie lleno a rebosar, porque nunca se sabe cuándo puede sobrevenir una plaga que acabe con la vida de todos los habitantes de Manhattan, excepto los gatos. Fat Louie no puede servirse su comida, al no tener pulgares, así que necesita que el cuenco esté lleno por si todos morimos y no hay nadie cerca para abrirle la bolsa.

¡¡¡Pero el apartamento está precioso!!! El señor Gianini ha hecho muchas cosas mientras he estado fuera. Se llevó el árbol de Navidad –la primera vez en toda la historia de los Thermopolis que el árbol de Navidad ya no está en casa por Pascua– y ha instalado ADSL. Así que ahora podré enviar *e-mails* y conectarme a internet siempre que quiera, sin monopolizar el teléfono.

Es como un milagro navideño.

Y eso no es todo: el señor G. también ha ordenado el trastero, donde estaba guardado todo el material de cuando mi madre creía que iba a dedicarse a la fotografía. Quitó los tablones de la ventana y se deshizo de todos los productos químicos tóxicos que llevaban allí una eternidad, porque a mi madre y a mí nos daba miedo tocarlos. ¡El trastero será ahora la habitación del bebé! Entra mucho sol y está precioso. O al menos lo estaba hasta que mi madre empezó a pintar las paredes (con témpera de huevo, para no poner en riesgo la salud del futuro bebé) con escenas de relevancia histórica, como el juicio de Winona Ryder y el compromiso de Jennifer Lopez y Mark Anthony, para que así, dice, el bebé empiece a hacerse una idea de los problemas a los que se enfrenta este país.

(El señor G. me ha asegurado en privado que volverá a pintar toda la pared en cuanto ingresen a mi madre en el hospital para que dé a luz. Cuando mi madre experimente el nuevo aflujo de endorfinas que proseguirá, no apreciará la diferencia. Solo puedo decir que agradezco al cielo que esta vez mi madre escogiera a un hombre con tanto sentido común para aparearse.)

Pero lo mejor de todo era lo que me esperaba en el contestador. Mi madre lo reprodujo orgullosa casi en cuanto entré por la puerta.

¡¡¡ERA UN MENSAJE DE MICHAEL!!! ¡¡¡MI PRIMER MENSAJE GRABADO DE MICHAEL DESDE QUE SOY SU NOVIA!!!

Lo cual, obviamente, significa que funcionó. Lo de no llamarle, quiero decir.

Este era el mensaje:

Hum, hola, Mia. Sí, bueno, soy Michael. Me preguntaba si, hum, podrías llamarme cuando oigas este mensaje. Porque llevo varios días sin saber de ti. Solo quiero saber si, hum, estás bien. Y asegúrate de volver sana y salva. Y que no pasa nada. Vale. Eso es todo. Bueno, Adiós. Ah, por cierto, soy Michael. O quizá ya lo he dicho. No me acuerdo. Hola, señora Thermopolis. Hola, señor Gianini. Vale. Bueno. Llámame, Mia. Adiós.

Saqué la cinta del contestador y la guardé en el cajón de la mesita de noche junto con:

a) varios granos de arroz de la bolsa en la que Michael y yo nos sentamos durante el Baile de la Diversidad Cultural, en recuerdo de la primera vez que bailamos juntos una lenta;

b) una tostada reseca de la noche en que fuimos a ver el *Rocky Horror Picture Show*, mi primera cita con Michael, aunque en realidad no fue una cita, porque Kenny también fue, y

c) un copo de nieve recortado en papel del Baile Aconfesional de Invierno, en recuerdo de la primera vez que Michael y yo nos besamos.

El mensaje era el mejor regalo de Navidad que podrían haberme hecho. Incluso mejor que la conexión ADSL.

Fui a mi habitación y deshice las maletas y escuché el mensaje unas cincuenta veces en el reproductor de casetes, y mi madre no paraba de entrar para darme más abrazos y preguntarme si quería escuchar su nuevo CD de Liz Phair y enseñarme las estrías. Entonces, coincidiendo con su decimotercera visita a mi habitación, yo volvía a escuchar el mensaje de Michael y ella dijo: «¿Todavía no le has llamado, cielo?», y yo le dije: «No», y ella dijo: «¿Y por qué no?», y yo le dije: «Porque estoy intentando ser como Jane Eyre».

Y entonces mi madre se le entornaron los ojos, como le ocurre siempre que discuten en la televisión sobre la financiación pública del arte.

—¿Jane Eyre? —repitió—. ¿Te refieres a la del libro?

—Exactamente —contesté, rescatando de debajo de Fat Louie (que se había metido en la maleta, supongo que creyendo que la estaba haciendo, no deshaciendo, y con la intención de impedirme que volviera a marcharme) los servilleteros napoleónicos con diamantes que me había dado el primer ministro de Francia como regalo de Navidad—. Verás, Jane no persigue al señor Rochester, deja que él la persiga. Así que Tina y yo nos hemos jurado solemnemente que vamos a ser como Jane.

A diferencia de Grandmère, mi madre no se alegró de oír esto.

—¡Pero Jane Eyre es muy cruel con el pobre señor Rochester! —gritó.

No comenté que eso era lo que yo también creía…, al principio.

—Mamá —le dije, muy seria—. ¿Y qué hay de tener a Bertha encerrada en la buhardilla?

—Estaba trastornada —puntualizó mi madre—. En aquellos tiempos no tenían medicamentos para tratar las enfermedades mentales. En realidad, tener a Bertha encerrada en la buhardilla era mucho menos cruel que enviarla a un hospital psiquiátrico, teniendo en cuenta cómo eran en aquel entonces, con la gente encadenada a las paredes. De verdad, Mia. Te juro que no sé de dónde sacas la mitad de las ideas que tienes. ¿Jane Eyre? ¿Quién te ha hablado de Jane Eyre?

—Hum —contesté dubitativa, porque sabía que a mi madre no iba a gustarle la respuesta—. Grandmère.

A mi madre se le fruncieron tanto los labios que acabaron por desaparecer.

—Debería haberlo adivinado —dijo—. Bien, Mia. Me parece encomiable que tú y tus amigas hayáis decidido no perseguir a los chicos. Sin embargo, si un chico deja un mensaje hermoso en el contestador como ha hecho Michael, difícilmente podría considerarse que le persigues si haces lo correcto y cortés, que es contestarle.

Reflexioné sobre sus palabras. Quizá mi madre tenía razón. Me refiero a que Michael no tiene a ninguna esposa encerrada en la buhardilla. El apartamento de la Quinta Avenida donde viven los Moscovitz no tiene buhardilla, que yo sepa.

—Vale —convine, dejando a un lado la ropa que había sacado de la maleta—. Creo que podría llamarle.

Se me aceleró el corazón con solo pensarlo. ¡En un minuto (en menos de un minuto, si conseguía echar a mi madre de mi habitación lo bastante deprisa) estaría hablando con Michael! Y no tendría de fondo ese extraño ronroneo que siempre se oye al llamar desde el otro lado del océano. ¡Porque ya no nos separaba un océano! Solo el Washington Square Park. Y no tendría que preocuparme más porque él deseara que yo fuera Kate Bosworth en lugar de Mia Thermopolis, porque en Manhattan no hay chicas del estilo de Kate Bosworth… o, si las hay, aquí tienen que llevar ropa puesta, al menos en invierno.

–Devolver llamadas no entra dentro de la categoría de persecución –dije–. Creo que está bien.

Mi madre, que se había sentado en el borde de mi cama, sacudió la cabeza.

–En serio, Mia –dijo–. Sabes que no me gusta contradecir a tu abuela. –Esta era la mentira más grande que había oído desde que René me dijo que bailo de maravilla el vals; aunque preferí hacerme la sueca, por el estado en que se encuentra mamá–. Pero realmente no creo que debas recurrir a estratagemas con los chicos. Especialmente con un chico que te importa. Especialmente con un chico como Michael.

–Mamá, si quiero pasar el resto de mi vida con Michael, tengo que recurrir a estratagemas con él –le expliqué cargándome de paciencia–. No puedo decirle la verdad. Si llegara a conocer la magnitud de la pasión que siento por él, saldría despavorido como un cervatillo.

Mi madre parecía perpleja.

–¿Un qué?

–Un cervatillo –repetí–. Verás, Tina le confesó a su novio, Dave Farouq El-Abar, sus verdaderos sentimientos y él se dio el piro.

–¿El qué?

–El piro –repetí. Sentí pena por mi madre. Está claro que atrapó al señor Gianini por los pelos. No podía creer que su léxico fuera tan reducido–. Sí, desapareció durante mucho tiempo. Dave solo volvió a dar señales de vida cuando Tina consiguió entradas para la lucha libre en el Madison Square Garden. Y Tina dice que desde entonces todo ha sido muy raro. –Una vez vacía la maleta, saqué de dentro a Fat Louie, la cerré y la dejé en el suelo. Luego me senté al lado de mi madre–. Mamá –le dije–, no quiero que a Michael y a mí nos pase eso. Quiero a Michael más que a nada en el mundo, excepto a ti y a Fat Louie.

Solo dije lo de «a ti» por amabilidad. Creo que quiero más a Michael que a mi madre. Suena horrible, pero no puedo evitarlo; es lo que siento.

Pero jamás querré a nadie tanto como a Fat Louie.

—¿Es que no lo ves? —insistí—. No quiero que lo que tenemos Michael y yo se estropee. Él es mi Romeo con vaqueros negros. —Aunque, por supuesto, nunca he visto a Michael con vaqueros negros, pero estoy segura de que tiene unos. Es que en el instituto llevamos uniforme, así que, por lo general, cuando le veo siempre va con pantalones grises de franela—. Y lo cierto es que Michael vale mucho más que yo, así que voy a tener que ir con mucho cuidado.

Mi madre parpadeó algo confusa.

—¿Que vale más que tú? ¿De qué demonios estás hablando, Mia?

—Bueno, ya sabes, mamá —contesté—. Me refiero a que no soy precisamente un buen partido. No soy guapa y supongo que recordarás cuánto tuve que esforzarme para aprobar Álgebra en el primer semestre. Y tampoco se puede decir que se me dé bien nada.

—¡Mia! —Mi madre parecía completamente atónita—. ¿Qué estás diciendo? ¡Se te dan bien un montón de cosas! Pero si sabes todo lo que hay que saber sobre medio ambiente y sobre Islandia y sobre la programación del Lifetime Channel…

Intenté sonreír para complacerla, como si todas esas cosas fuesen en realidad talentos. No quería que se sintiera mal por no haberme transmitido sus dotes artísticas. No es culpa suya, sino de algún defecto en mi ADN.

—Ya —contesté—, pero, verás, mamá, eso no son talentos. Michael es guapísimo e inteligente y sabe tocar un montón de instrumentos y compone canciones y se le da bien casi todo, y solo es cuestión de tiempo que alguna chica preciosa que sepa surfear o algo así lo atrape y…

—No entiendo —me cortó mamá— por qué piensas todo eso solo porque hayas tenido que esforzarte un poco más en Álgebra que otros compañeros de tu clase; que creas que no se te da bien nada y que Michael va a acabar saliendo con una chica que sepa surfear. Pero opino que si no has visto a un chico en un mes y él te deja un mensaje, lo más decente es que le devuelvas la llamada. Si no lo haces, puedes estar bastante segura de que se irá, sencillamente, y no despavorido como un cervatillo.

Miré fijamente a mi madre, parpadeando. Tenía razón. En ese instante comprendí que el ardid de Grandmère (eso de mantener al hombre al que amas con la incertidumbre de si le correspondes o no) presentaba ciertos escollos. Como por ejemplo este: él podría concluir que no le amas y desaparecer para siempre, quizá enamorarse de alguna chica de cuyo afecto estuviera seguro, como Judith Gershner, presidenta del Club de Informática y un prodigio indiscutible, aunque supuestamente esté saliendo con un chico del Trinity; pero nunca se sabe, podría ser una artimaña para adormecerme con una sensación de seguridad con respecto a Michael y dejarme con la guardia baja, a salvo de las garras de la capacidad de Judith para clonar moscas de la fruta…

—Mia —dijo mi madre, mirándome con preocupación—. ¿Estás bien?

Intenté sonreír, pero no pude. ¿Cómo, me pregunté, podíamos Tina y yo haber pasado por alto este fallo en nuestro plan? Ahora mismo Michael podría estar colgado al teléfono con Judith o con alguna otra chica igual de intelectual, hablando sobre cuásares o fotones o lo que sea de lo que hablan las personas inteligentes. Peor aún: podría estar al teléfono con Kate Bosworth, hablando de olas.

–Mamá –dije, y me levanté–. Debes irte. Tengo que llamarle.

Me alegré de que el pánico que me atenazaba la garganta no se me hubiera contagiado a la voz.

–Oh, Mia –dijo mi madre. Parecía más relajada–. Sí, creo que tienes que llamarle. Es incuestionable que Charlotte Brontë es una autora excelente, pero tienes que recordar que escribió *Jane Eyre* a medidados del siglo XIX, y que en aquel entonces las cosas eran un poco diferentes…

–Mamá –la interrumpí.

Los padres de Lilly y Michael, los doctores Moscovitz, tienen una norma que cumplen a rajatabla: está prohibido llamar más tarde de las once de la noche entre semana. Y mi madre seguía allí, privándome de la intimidad que iba a necesitar si quería hacer esa llamada crucial.

–Ah –concluyó, sonriendo. Aunque está embarazada, mi madre sigue pareciendo una niña, con todos esos rizos negros y largos. Está claro que yo heredé el pelo de mi padre, que en realidad nunca he visto, porque siempre le he conocido calvo.

El ADN es injusto.

El caso es que POR FIN se fue –las mujeres embarazadas son muy lentas; creo que la evolución podría haberlas vuelto un poco más rápidas para que pudieran huir de los depredadores o algo así, pero me temo que no lo ha hecho– y yo corrí al teléfono. Tenía el corazón desbocado porque por fin, POR FIN, iba a hablar con Michael, y mi madre opinaba que estaba bien, que mi llamada no podía considerarse persecución, ya que él me había llamado antes…

Y justo cuando estaba a punto de descolgar el auricular, sonó el teléfono. Me dio un vuelco el corazón, como suele ocurrirme siempre que veo a Michael. Era Michael, lo sabía. Descolgué al segundo tono —aunque no quería que me dejara por alguna chica más atenta, tampoco quería que creyera que estaba sentada al lado del teléfono esperando su llamada— y dije, con mi voz más sofisticada:

—¿Sí?

La voz de Grandmère, ronca por efecto del tabaco, me saturó el oído.

—¿Amelia? —gruñó—. ¿Por qué suenas así? ¿Qué te traes entre manos?

—Grandmère. —No podía creerlo. ¡Eran las diez cincuenta y nueve! Me quedaba exactamente un minuto para llamar a Michael sin correr el riesgo de despertar la ira de sus padres—. Ahora no puedo hablar. Tengo que hacer una llamada.

—¡Pfuit! —Grandmère soltó su ruidito reprobatorio—. ¿Y a quién ibas a llamar a estas horas, si se puede saber?

—Grandmère. —Las diez cincuenta y nueve y medio—. Es correcto llamarle. Él me llamó antes. Solo voy a devolverle la llamada. Es un gesto amable y cortés.

—Es muy tarde para andar llamando a «ese chico» —dijo Grandmère.

Las once. Había perdido mi oportunidad. Gracias a Grandmère.

—De todos modos, le verás mañana en el instituto —prosiguió—. Ahora, ponme con tu madre.

—¿Mi madre? —Me quedé estupefacta. Grandmère nunca habla con mi madre, si puede evitarlo. No se han llevado bien desde que mi madre se negó a casarse con mi padre después de quedarse embarazada de mí, porque no quería que su hija estuviera sometida a las vicisitudes de la aristocracia.

—Sí, tu madre —repitió Grandmère—. Sin duda habrás oído hablar de ella.

De modo que salí de mi habitación y le pasé el auricular a mi madre, que estaba sentada en el salón con el señor Gianini, viendo un programa del corazón. No le dije quién llamaba, porque, de haberlo hecho, mi madre me habría ordenado que le dijera a Grandmère que estaba en la ducha, y entonces tendría que haber vuelto a hablar con ella.

—¿Sí? —contestó mi madre, pizpireta, creyendo que la llamaba alguna de sus amigas para comentar las últimas juergas de los famosos de turno. Me escabullí lo más deprisa que pude. Alrededor del sofá había varios objetos pesados que mi madre podría haber lanzado en mi dirección si me quedaba a tiro de piedra de ella.

Ya de vuelta en mi habitación, pensé en Michael apesadumbrada. ¿Qué iba a decirle mañana, cuando Lars y yo fuéramos a recogerlos a él y a Lilly con la lumusina para ir al instituto? ¿Que había llegado demasiado tarde para llamar? ¿Y si él notaba que se me ensanchaba la nariz mientras hablaba? No sé si ya se habrá dado cuenta de que me pasa eso cuando miento, pero creo que se lo mencioné a Lilly, pues sufro una incapacidad absoluta para mantener la boca cerrada con cuestiones que debería reservarme solo para mí. Pero ¿y si Lilly se lo ha dicho?

Entonces, mientras estaba allí sentada, triste y adormecida porque acusaba mucho el *jet lag*, se me ocurrió una idea brillante: ¡podía comprobar si Michael estaba conectado y enviarle un mensaje instantáneo! ¡Podía hacerlo aunque mi madre estuviera al teléfono con Grandmère porque ahora tenemos ADSL!

Corrí al ordenador y lo hice. ¡Estaba conectado!

«Michael —escribí—. ¡Hola! ¡Soy yo! ¡Ya estoy en casa! Quería llamarte, pero ya pasan de las once y tus padres se enfadarían.»

Michael se cambió el *nick name* al clausurar la revista *Crackhead*. Ya no es CracKing, sino LinuxRulz, en protesta por el monopolio que Microsoft está ejerciendo en la industria del *software*.

LINUXRULZ: ¡BIENVENIDA! ME ALEGRO MUCHO DE SABER DE TI. ME PREOCUPABA QUE ESTUVIERAS MUERTA O ALGO ASÍ.

¡Así que se había fijado en que había dejado de llamarle! Lo cual significaba que el plan que habíamos ideado Tina y yo había funcionado a la perfección. Al menos por el momento.

FTLOUIE: NO, NO ESTOY MUERTA. SOLO MUY ATAREADA. YA SABES: EL DESTINO DE LA ARISTOCRACIA DESCANSA SOBRE MIS HOMBROS Y TODO ESO. ¿PASO MAÑANA A RECOGEROS CON LARS PARA IR AL INSTITUTO?

LINUXRULZ: ESTARÍA BIEN. ¿QUÉ HARÁS EL VIERNES?

¿Qué haré el viernes? ¿Me estaba invitando a SALIR? ¿Íbamos a tener Michael y yo una cita? ¿¿¿Al fin???

Intenté escribir algo despreocupado para que no se percatara de lo emocionada que estaba. Ya había espantado a Fat Louie al ponerme a saltar en la silla delante del ordenador (casi le había tirado al suelo).

FTLOUIE: NADA, QUE YO SEPA. ¿POR QUÉ?

LINUXRULZ: ¿TE APETECE QUE VAYAMOS A CENAR A LA SALA DE PROYECCIÓN? PASARÁN LA PRIMERA ENTREGA DE *LA GUERRA DE LAS GALAXIAS*.

¡¡¡OH, DIOS MÍO!!! ¡¡¡ME ESTABA INVITANDO A SALIR!!! Cena y película. Al mismo tiempo, porque en la sala de proyección uno se sienta a una mesa y cena mientras ve la película. Y *La guerra de las galaxias* es mi película favorita de todos los tiempos, después de *Dirty Dancing*. ¿Podría haber alguien más afortunado que yo? No, no lo creo. Chínchate, Britney.

Me temblaban los dedos al teclear.

FtLouie: Creo que estaría bien. Tendré que preguntarle a mamá. ¿Puedo contestarte mañana?

LinuxRulz: De acuerdo. Entonces, ¿nos vemos mañana? ¿Hacia las ocho y cuarto?

FtLouie: Mañana, a las ocho y cuarto.

Quería añadir algo como «Te echo de menos» o «Te quiero», pero…, no sé, se me hacía raro y al final no pude hacerlo. Quiero decir que da un poco de vergüenza decirle a las personas que quieres que las quieres. No debería ser así, pero es así. Además, creo que es algo que *Jane Eyre* no haría. A menos que, ya sabes, acabara de saber que el hombre al que ama se ha quedado ciego en un intento heroico de rescatar a su esposa pirómana y trastornada del infierno en el que ella misma se había metido.

Invitarme a cenar y a ver una película no parecía lo mismo, la verdad.

Entonces Michael escribió:

LinuxRulz: He recorrido esta galaxia de un extremo al otro…

101

… que es una de mis frases favoritas de la primera entrega de *La guerra de las galaxias*. Así que escribí:

FtLouie: ME GUSTAN LOS HOMBRES DECENTES.

… adelantándome a *El imperio contraataca*, y Michael contestó:

LinuxRulz: YO SOY DECENTE.

Lo cual es mucho mejor que decir «Te quiero», porque, justo después de decir eso, Han Solo besa apasionadamente a la princesa Leia. ¡¡¡OH, DIOS MÍO!!! Realmente es como si Michael fuera Han Solo y yo la princesa Leia, porque a Michael se le da bien reparar cosas como los hiperimpulsores y, bueno, yo soy una princesa, y lucho contra las injusticias como Leia y todo eso.

Además, el perro de Michael, Pavlov, se parece un poco a Chewbacca. Si Chewbacca fuera un sheltie, claro.

No podría imaginar una cita más perfecta. Además, mamá me dejará ir porque la sala de proyección está bastante cerca de casa, y, al fin y al cabo, voy con Michael. Incluso al señor Gianini le gusta Michael, y por lo general no le gustan los chicos que estudian en el Albert Einstein; dice que la mayoría son sacos de testosterona andantes.

Me pregunto si la princesa Leia habrá leído *Jane Eyre*. Aunque quizá *Jane Eyre* no existe en su galaxia.

No voy a poder dormir. Estoy demasiado emocionada. ¡¡¡Voy a verle en ocho horas y quince minutos!!!

Y el viernes me sentaré a su lado en una sala a oscuras. Solos. Sin nadie alrededor. Excepto la camarera y quienes vayan a ver la película.

La Fuerza me acompaña, está claro.

Martes, 20 de enero, primer día de clase después de las vacaciones de invierno, en el aula

Esta mañana me ha costado horrores levantarme. De hecho, el único motivo por el que conseguí arrancarme las sábanas (y a Fat Louie, que dormía encima de mí y se había pasado toda la noche ronroneando como una locomotora) fue la perspectiva de volver a ver a Michael después de treinta y dos días.

Es una crueldad tremenda obligar a una persona de mi tierna edad, que debería disfrutar de al menos nueve horas de sueño diarias, a viajar de ida y vuelta entre dos zonas horarias tan extremadamente distintas, sin ni un solo día de descanso de por medio. Sigo teniendo *jet lag* y estoy segura de que me va a atrofiar no solo el crecimiento físico —no en lo referente a la estatura, porque ya soy lo bastante alta, gracias, pero sí en lo concerniente a las glándulas mamarias, ya que las glándulas son muy sensibles a las alteraciones de los ciclos del sueño—, sino además el crecimiento intelectual.

Y ahora que empiezo el segundo semestre de mi primer curso, las notas son cada vez más importantes. No es que tenga la intención de ir a la universidad ni nada. Al menos, no de momento. Como el príncipe Guillermo, intentaré tomarme un año sabático entre el instituto y la universidad, aunque espero dedicarlo al desarrollo de algún don o algún talento, o, si no encuentro ninguno, colaborar como voluntaria con Greenpeace, espero que en uno de esos barcos que se interponen entre los balleneros japoneses y rusos, y las ballenas. No creo que Greenpeace acepte a voluntarios que no hayan sacado una nota media de al menos un seis.

En fin. Ha sido una tortura levantarme esta mañana, sobre todo cuando, después de rescatar el uniforme escolar, me di cuenta de que mis medias de la reina Amidala no estaban en el cajón. Debo llevar puestas las medias de la reina Amidala el primer día de todos los semestres, o tendré mala suerte el resto del año. Siempre tengo buena suerte cuando me pongo las medias de la reina Amidala. Las llevaba, por ejemplo, la noche del Baile Aconfesional de Invierno, cuando Michael me dijo al fin que me quería.

No que estaba ENAMORADO de mí, por supuesto, pero sí que me quería. Esperemos que no como a una amiga.

Tengo que llevar las medias de la reina Amidala el primer día del segundo semestre, y después enviarlas a la lavandería para que estén limpias antes del viernes y poder ponérmelas también en mi cita con Michael. Porque esa noche voy a necesitar una dosis adicional de buena suerte, si quiero competir con todas las Kate Bosworth del mundo por sus atenciones... Y también porque tengo la intención de darle el regalo de cumpleaños esa noche. El regalo de cumpleaños que confío en que le guste mucho, que le haga enamorarse locamente de mí, si aún no lo está.

Así que tuve que ir a la habitación de mi madre, la que comparte con el señor Gianini, y despertarla —suerte que el señor G. estaba ya en la ducha; juro por Dios que si los hubiese visto juntos en la cama en el estado en que yo estaba en esos momentos, me habría dado un soponcio— y preguntarle:

—Mamá, ¿dónde está mi ropa interior de la reina Amidala?

Mi madre, que ya duerme como un tronco cuando no está embarazada, contestó algo así como:

—*Xurnouog* —Lo cual ni siquiera es una palabra.

—Mamá —insistí—. Necesito mi ropa interior de la reina Amidala. ¿Dónde está?

Pero lo único que respondió mi madre fue:

—*Kapukin*.

Así que se me ocurrió una idea. No es que creyera que hubiese la menor posibilidad de que mi madre no fuese a dejarme salir con Michael, después de su alentador discurso de anoche, pero quería asegurarme de que no tuviese ocasión de retractarse:

—Mamá, ¿puedo salir con Michael a cenar y a ver una película el viernes por la noche?

Y ella respondió, mientras se daba la vuelta en la cama:

—Sí, sí, *esfrorron*.

Vale, asunto resuelto.

Pero aun así tuve que ir al instituto con la ropa interior normal, que me da un poco de rabia, porque no tiene nada de especial: es solo blanca y aburrida.

Pero al subir a la limusina volví a animarme, por la perspectiva de ver a Michael.

Y entonces pensé: «Oh, Dios mío, ¿qué va a pasar cuando vea a Michael?». Porque cuando hace treinta y dos días que una no ve a su novio, no puede decirle sin más: «Ah, hola». Hay que abrazarle... o algo...

Pero ¿cómo iba a abrazarle en el coche? ¿Con todos mirándonos? Bueno, al menos no iba a tener que preocuparme por mi padrastro, ya que el señor G. se niega en redondo a ir al instituto con Lars, Lilly, Michael y conmigo en la limusina, aunque todos vayamos al mismo sitio. El señor Gianini dice que prefiere ir en metro. Solo lo dice porque así escucha la música que le gusta (mamá y yo no le dejamos poner sus discos de jazz roquero en el apartamento, así que no le queda más remedio que recurrir al MP3).

Pero ¿y Lilly? Me refiero a que Lilly iba a estar ahí. ¿Cómo voy a abrazar a Michael delante de Lilly? Y, vale, Michael y yo estamos juntos en parte gracias a Lilly, pero eso no significa que me sienta del todo cómoda participando en, ya sabes, demostraciones públicas de cariño delante de ella.

Si esto fuera Genovia, sería correcto besarle en las dos mejillas, porque ese es el saludo convencional allí.

Pero esto es Estados Unidos, donde uno difícilmente le estrecha la mano a nadie, a menos que sea el alcalde o algo parecido.

Además, estaba todo el asunto Jane Eyre. Me refiero a que Tina y yo habíamos decidido no perseguir a nuestros novios, pero no habíamos dicho nada de volver a saludarlos después de treinta y dos días sin verlos.

Estuve a punto de preguntarle a Lars qué opinaba él que debía hacer, porque me estaba devanando los sesos, cuando llegamos al edificio donde viven los Moscovitz. Hans, el chófer, se disponía a bajar para abrirle la puerta a Lilly y a Michael, pero yo exclamé: «¡Ya lo tengo!». Me adelanté y bajé antes que él.

Y allí estaba Michael, de pie sobre la nieve medio derretida, con ese aire estilizado, y apuesto, y viril, con el pelo revuelto a merced del viento. Me bastó verle para que el corazón empezara a latirme a mil por hora. Creí que iba a derretirme…

Sobre todo cuando nada más verme sonrió, una sonrisa que se le contagió a los ojos, que seguían siendo de color castaño oscuro, tal como los recordaba, y rebosantes de la misma inteligencia y buen humor que la última vez que los había mirado, treinta y dos días antes.

Lo que no alcancé a saber era si también rebosaban amor. Tina me había dicho que podría averiguar si Michael me amaba o no con solo mirarle a los ojos. Pero la verdad es que lo único que averigüé mirándole a los ojos fue que Michael no me encontraba del todo repulsiva. De lo contrario, habría desviado la mirada, como hago yo cuando veo en la cafetería del instituto a ese chico que siempre aparta el maíz del chile.

—Hola —dije, con la voz repentinamente trémula.

—Hola —contestó Michael, con la voz nada trémula, sino emocionante y profunda, del estilo de Lobezno.

Y allí nos quedamos, mirándonos fijamente, con nuestra respiración condensándose en pequeñas nubecillas blancas y rodeados de gente que se apresuraba por la acera de la Quinta Avenida, gente a la que yo casi ni veía. De hecho, casi ni oí a Lilly cuando dijo:

—Oh, por el amor de Dios. —Y pasó por mi lado con grandes zancadas en dirección a la limusina.

Y entonces Michael añadió:

—Me alegro mucho de verte.

Y yo le dije:

—Yo también me alegro mucho de verte.

Desde el interior de la limusina, Lilly nos soltó:

—Eoh… Estamos como a dos grados bajo cero. ¿Os importaría subir al coche ya, por favor?

A lo que yo comenté:

—Creo que deberíamos…

A lo que Michael repuso:

—Sí.

Y posó una mano en la puerta de la limusina para sujetarla y cederme el paso. Pero, cuando hice el amago de subir, posó su otra mano en mi brazo; al volverme para ver qué quería (aunque en cierto modo ya lo sabía), me preguntó:

—Entonces, ¿podrás salir el viernes por la noche?

Y yo le contesté:

—Ajá.

Y en ese momento él tiró de mi brazo muy al estilo del señor Rochester, obligándome a acercarme un paso a él, y, moviéndose más deprisa de lo que jamás le había visto moverse, se inclinó hacia mí y me besó, justo en la boca, ¡delante del portero de su casa y del resto de la Quinta Avenida!

Tengo que admitir que el portero de Michael y el resto de la Quinta Avenida, incluidos todos los pasajeros del autobús M1 que pasaba como un bólido en ese preciso instante, no parecieron percatarse de que la princesa de Genovia estaba siendo besada en su presencia.

Pero yo sí. Yo sí, y me sentí de maravilla. Pensé que quizá toda la preocupación por si Michael me quería como a una potencial compañera de vida o solo como a una amiga había sido una tontería.

Porque uno no besa de ese modo a una amiga.

Me parece.

Entonces subí al asiento trasero de la limusina y me senté al lado de Lilly, con una sonrisa bobalicona en los labios de la que temía que se mofara; pero no pude evitarlo, porque, a pesar de no llevar puesta la ropa interior de la reina Amidala, el segundo semestre ya iba bien, ¡y ni siquiera hacía quince minutos que había empezado!

Entonces Michael subió y cerró la puerta, y Hans arrancó y nos pusimos en marcha en dirección al instituto, y Lars dijo: «Buenos días» a Lilly y a Michael, y ellos le devolvieron el saludo, y yo ni siquiera me percaté de que Lars intentaba ocultar una sonrisilla cómplice hasta que Lilly me lo dijo al bajar de la limusina, ya en el instituto.

—Como si no supiéramos lo que estabais haciendo ahí fuera —dijo.

Pero lo dijo en el buen sentido.

Estaba tan contenta que apenas oía a Lilly hablar camino de clase; hablaba de la película sobre mi vida. Me explicó que había enviado una carta certificada a los productores y que aún no había obtenido respuesta, aunque ya había pasado más de una semana.

—Es —comentó Lilly— otro ejemplo de cómo esos tipos de Hollywood creen que pueden salirse con la suya en todo lo que se proponen. Bueno, pues aquí estoy yo para demostrarles lo contrario. Si no recibo noticias suyas antes de mañana, acudiré a los medios de comunicación.

Eso captó mi atención. La miré, parpadeando.

—¿Quieres decir que vas a dar una rueda de prensa?

—¿Por qué no? —Lilly se encogió de hombros—. Tú lo hiciste y, hasta hace muy poco, eras incapaz de pronunciar una frase coherente delante de una cámara. Así que no será tan difícil.

¡Uau! Lilly está realmente indignada con el asunto de la película. Creo que voy a tener que verla para comprobar lo mala que es. Los demás chicos del instituto no parecen haber pensado mucho en ello. Pero, claro, cuando la emitieron todos estaban en St. Moritz o en sus chalets de vacaciones en Ojai, demasiado ocupados esquiando o divirtiéndose al sol para ver una estúpida película de serie B sobre la vida de una compañera de clase.

Por la cantidad de extremidades enyesadas que estoy viendo (Tina no ha sido ni de lejos la única que se ha hecho un esguince durante las vacaciones), todos se lo han pasado mucho mejor que yo. Incluso Michael dice que la mayor parte del tiempo estuvo sentado en el balcón del apartamento de sus padres escribiendo canciones para su nueva banda.

Supongo que soy la única que se ha pasado todas las vacaciones asistiendo a sesiones parlamentarias e intentando negociar tarifas de aparcamiento para los garajes del casino del centro de Genovia.

Aun así, me alegro mucho de estar de vuelta. Me alegro mucho porque, por primera vez en toda mi trayectoria estudiantil, le gusto al chico que me gusta (quizá incluso me ama). Y puedo verle entre clase y clase, y en la hora de Genios y Talentos…

¡Oh, Dios mío! ¡Lo había olvidado por completo! ¡Es principio de semestre! ¡Nos van a asignar a todos un horario nuevo! Ya los están repartiendo en el fondo del aula. ¿Y si Michael y yo ya no volvemos a coincidir en la hora de Genios y Talentos? Yo ni siquiera debería ir a la clase de Genios y Talentos, teniendo en cuenta que no soy lo primero ni tengo lo segundo. Solo me colaron porque era evidente que suspendía Álgebra y que necesitaba un tiempo de estudio adicional. Se suponía que a esa hora me tocaba Pretecnología. ¡PRETECNOLOGÍA! ¡DONDE TE HACEN FABRICAR UN ESPECIERO!

En el segundo semestre me tocaría Labores del Hogar. ¡¡¡¡¡¡COMO ESTE SEMESTRE ME METAN EN LABORES DEL HOGAR EN LUGAR DE EN GENIOS Y TALENTOS ME MUERO!!!!!!

Porque el pasado semestre acabé sacando un notable bajo en Álgebra. No conceden horas extra de estudio si se sacan notables bajos. Un notable bajo se considera bueno. Excepto, ya sabes, para la gente como Judith Gershner.

Oh, Dios, lo sabía. SABÍA que algo malo iba a pasar si no me ponía la ropa interior de la reina Amidala.

Así que si no voy a la clase de G y T, solo veré a Michael a la hora del almuerzo, entre clase y clase. Porque él es un veterano y yo solo una novata. No voy a ir a Cálculo Avanzado con él, ni él a segundo de Francés conmigo.

¡Y es posible que ni siquiera le vea en la hora del almuerzo! ¡Es posible que ni siquiera coincidan nuestras horas del almuerzo!

Y, aunque coincidan, ¿qué probabilidades hay de que nos sentemos juntos? Tradicionalmente, siempre me he sentado con Lilly y Tina, y Michael siempre se ha sentado con sus compañeros de clase y del Club de Informática. ¿Va a sentarse conmigo a partir de ahora? Porque de ningún modo voy a ir yo a sentarme a su mesa. Todos esos tipos se pasan el día hablando de cosas que no entiendo, como lo odioso que es Steve Jobs, uno de los fundadores de Apple, y lo fácil que es *hackear* el sistema de misiles defensivos de la India...

Oh, Dios mío, ya están repartiendo los nuevos horarios. Por favor, que no me hayan incluido en Labores del Hogar. POR FAVOR.

POR FAVOR. POR FAVOR. POR FAVOR. POR FAVOR.
POR FAVOR. POR FAVOR. POR FAVOR. POR FAVOR.
POR FAVOR. POR FAVOR. POR FAVOR. POR FAVOR.
POR FAVOR. POR FAVOR. POR FAVOR. POR FAVOR.
POR FAVOR. POR FAVOR. POR FAVOR. POR FAVOR.
POR FAVOR. POR FAVOR. POR FAVOR. POR FAVOR.
POR FAVOR. POR FAVOR. POR FAVOR. POR FAVOR.
POR FAVOR. POR FAVOR. POR FAVOR. POR FAVOR.
POR FAVOR. POR FAVOR. POR FAVOR. POR FAVOR.
POR FAVOR. POR FAVOR. POR FAVOR. POR FAVOR.
POR FAVOR. POR FAVOR. POR FAVOR. POR FAVOR.
POR FAVOR. POR FAVOR. POR FAVOR. POR FAVOR.
POR FAVOR. POR FAVOR. POR FAVOR. POR FAVOR.
POR FAVOR. POR FAVOR. POR FAVOR. POR FAVOR.
POR FAVOR. POR FAVOR. POR FAVOR. POR FAVOR.
POR FAVOR. POR FAVOR. POR FAVOR. POR FAVOR.
POR FAVOR. POR FAVOR. POR FAVOR. POR FAVOR.
POR FAVOR. POR FAVOR. POR FAVOR. POR FAVOR.
POR FAVOR. POR FAVOR. POR FAVOR. POR FAVOR.
POR FAVOR. POR FAVOR. POR FAVOR. POR FAVOR.
POR FAVOR. POR FAVOR. POR FAVOR. POR FAVOR.
POR FAVOR. POR FAVOR. POR FAVOR. POR FAVOR.
POR FAVOR. POR FAVOR. POR FAVOR. POR FAVOR.
POR FAVOR. POR FAVOR. POR FAVOR. POR FAVOR.
POR FAVOR. POR FAVOR. POR FAVOR. POR FAVOR.
POR FAVOR. POR FAVOR. POR FAVOR. POR FAVOR.
POR FAVOR. POR FAVOR. POR FAVOR. POR FAVOR.
POR FAVOR. POR FAVOR. POR FAVOR. POR FAVOR.
POR FAVOR. POR FAVOR. POR FAVOR. POR FAVOR.
POR FAVOR. POR FAVOR. POR FAVOR. POR FAVOR.
POR FAVOR. POR FAVOR. POR FAVOR. POR FAVOR.
POR FAVOR. POR FAVOR. POR FAVOR. **POR FAVOR**.

Martes, 20 de enero, clase de Álgebra

¡Ja! Es posible que mi ropa interior de la reina Amidala esté en paradero desconocido, pero de todos modos el poder de la Fuerza me acompaña. Mi nuevo horario es EXACTA-MENTE igual que el del pasado semestre, con la excepción de que, por algún milagro, ahora tengo Bío en la tercera hora en lugar de Civ. del Mundo —oh, Dios, por favor, no permitas que a Kenny, mi antiguo compañero de Bío y ex novio, también lo hayan pasado a la tercera hora—. Ahora tendré Civ. del Mundo en la séptima. Y en lugar de tener Educación Física en la cuarta, todos tendremos Salud y Seguridad.

Y nada de Pretecnología ni de Labores del Hogar, ¡¡¡GRACIAS A DIOS!!! No sé quién les dijo a los de la administración que soy un genio o que tengo algún talento, pero se lo agradeceré eternamente e intentaré por todos los medios estar a la altura.

Y resulta que sé que Michael no solo sigue coincidiendo conmigo en G y T en la quinta hora, sino que también coincidiremos en el almuerzo. Lo sé porque después de llegar aquí y sentarme en la clase de Álgebra y sacar la libreta y el libro de texto *Álgebra I-II*, ¡vino Michael!

Sí, vino a la clase de los novatos de segundo semestre del señor G., como si fuera un alumno más, y todos se le quedaron mirando, incluida Lana Weinberger, porque, ya sabes, los veteranos no suelen frecuentar el aula de los novatos, a menos que trabajen en la secretaría y tengan que entregar un permiso a algún estudiante o algo así.

Pero Michael no trabaja en la secretaría. Solo se presentó en la clase del señor G. para verme. Lo sé porque vino directamente a mi pupitre y me preguntó: «¿Qué turno de almuerzo tienes?». Le contesté que el A, y él dijo: «Yo también ¿Y después tienes G y T?», y le dije que sí, y él dijo: «Genial, te veo en el almuerzo».

Entonces se dio media vuelta y se fue, con ese porte tan esbelto y universitario y con su mochila JanSport y sus New Balance…

Y el modo en que le dijo al señor Gianini (que estaba sentado a su mesa, con una taza de café en las manos y las cejas arqueadas): «Eh, señor G.», así, tan informal, mientras salía…

Bueno, no se puede ser más fantástico.

Y había venido a verme. A MÍ, MIA THERMOPOLIS, hasta ese mismo instante la persona menos popular de todo el instituto, excepto el chico al que no le gusta el maíz en el chile.

Así que ahora todos los que no nos habían visto a Michael y a mí besándonos en el Baile Aconfesional de Invierno saben ya que estamos saliendo, porque nadie entra en el aula de otro entre dos clases para interesarse por su horario, a menos que esté saliendo con ese otro.

Noté que los ojos de todos mis cosufridores de Álgebra se clavaban en mí, aunque la campana ya estaba sonando; incluso los de Lana Weinberger. Casi podía oír a todo el mundo preguntando: «¿Está saliendo con ella?».

Supongo que cuesta un poco de creer. De hecho, incluso a mí me cuesta creerlo. Porque, por supuesto, es de dominio público que Michael es el tercer chico más guapo del instituto, después de Josh Richter y Justin Baxendale (aunque, en mi opinión, habiendo visto a Michael muchas veces sin camisa, a su lado esos dos se parecen a Quasimodo). Así que, ¿qué está haciendo conmigo, un bicho raro sin talento y con los pies del tamaño de esquís y sin pechos detectables y una nariz que se ensancha cuando miente?

114

Además, yo solo soy una humilde novata, y Michael es un veterano al que ya han aceptado en la universidad que solicitó como primera opción, una de las más prestigiosas del país y que está justo aquí, en Manhattan. Además, Michael será uno de los dos alumnos que lean el discurso de despedida de su promoción, por haber sacado sobresaliente en todo, mientras que yo a duras penas apruebo Álgebra. Además, Michael está muy implicado en actividades extraacadémicas, como el Club de Informática, el Club de Ajedrez y el Club de Física. Diseñó la página web del instituto. Sabe tocar como diez instrumentos. Y ahora está montando su propia banda.

¿Yo? Yo soy princesa. Punto.

Y lo soy desde hace muy poco. Antes de saberlo, no era más que la marginada que suspendía Álgebra y llevaba el uniforme rebozado en pelo de gato de color naranja.

De modo que sí, creo que puedo afirmar que muchos compañeros se sorprendieron al ver a Michael Moscovitz acercarse a mi pupitre en clase de Álgebra para comparar nuestros respectivos horarios. Noté que todos me miraban después de que él se marchara, cuando sonó la campana, y los oí murmurar. El señor G. intentó restablecer el orden en el aula, diciendo: «Muy bien, muy bien, se acabó el descanso. Ya sé que hace tiempo que no os veis, pero tenemos mucho trabajo que hacer en las próximas nueve semanas», aunque, claro está, nadie le hizo caso, porque yo acaparaba la atención de todos.

En el pupitre de delante, Lana Weinberger ya estaba colgada al teléfono (el nuevo móvil que yo tuve que pagarle, por haberle destrozado el antiguo en aquella especie de brote psicótico que sufrí el mes pasado) y decía: «¿Shel? No vas a creer lo que acaba de pasar. ¿Sabes esa rarita que va contigo a clase de Latín, la del programa de televisión y la cara plana? Sí, pues su hermano acaba de venir para comparar su horario con el de Mia Thermopo…».

Por desgracia para Lana, el señor Gianini tiene ciertos reparos con el uso del teléfono móvil en clase. Casi se abalanzó sobre ella, le arrebató el teléfono, se lo llevó a la oreja y dijo: «La señorita Lana Weinberger no puede hablar contigo en este momento porque está ocupada haciendo una redacción de mil palabras sobre lo maleducado que es llamar por teléfono en plena clase», tras lo cual guardó el teléfono en su cajón y le dijo que se lo devolvería al final del día, cuando hubiese acabado la redacción.

Ojalá el señor G. me diera a mí el móvil de Lana. Sin duda le daría un uso mucho más responsable que ella.

Pero supongo que, aunque el profesor sea tu padrastro, no puede confiscar cosas a otros alumnos y regalártelas.

Lo cual es una lata, poque realmente lo utilizaría ahora mismo: acabo de recordar que no le he preguntado a mi madre qué quería Grandmère cuando llamó anoche.

Oh, qué fastidio. Integrales. Tengo que dejarte.

$B = (\times : \times$ es una integral en que $\times > 0)$

Definición: cuando una integral es cuadrada, el resultado se denomina «cuadrado perfecto».

Martes, 20 de enero, clase de Salud y Seguridad

Esto es aburridísimo. (M.T.)

Ni que lo digas. ¿Cuántas veces en nuestra vida de estudiantes van a decirnos que el sexo sin protección puede derivar en un embarazo no deseado y en el SIDA? ¿Es que creen que es una información que no retenemos las primeras cinco mil veces que la oímos o algo así? (L. M.)

Eso parece. Eh, ¿viste cómo el señor Wheeton abrió la puerta de la sala de profesores, miró a mademoiselle Klein y se marchó? Es evidente que está enamorado de ella.

Lo sé, es más que evidente. Siempre le lleva cafés con leche del Ho's. ¿Qué puede ser eso, sino amor? Wahim se sentirá destrozado si empiezan a salir.

Sí, pero ¿cómo va a preferir al señor Wheeton antes que a Wahim? Wahim es tan musculoso… Por no hablar de la pistola.

Los caprichos del corazón humano son inexplicables. Al menos para mí. Oh, por Dios, ahora se pone a hablar de seguridad vial. ¿Podría ser esto más aburrido? Vamos a hacer una lista. Empiezas tú.

Vale.

LISTA DE LOS TÍOS MÁS BUENOS (NUEVA Y MEJORADA),
por Mia Thermopolis
con comentarios de Lilly Moscovitz

1. Michael Moscovitz. *(Obviamente, no puedo estar de acuerdo contigo debido al vínculo genético que me une a dicho individuo, aunque admitiré que no es deforme ni nauseabundo.)*

117

2. Ioan Griffud, de la serie *Horatio Hornblower*. *(De acuerdo. Me hace estremecer cuando quiere.)*

3. El tipo que sale en *Smallville*. *(Bah, aunque deberían dejarle participar en el equipo de natación de la escuela porque así se quitaría la camisa más veces por episodio.)*

4. Hayden Christensen. *(Otro «bah». Ídem con lo del equipo de natación: los jedis deberían montar uno. Incluso los que se han pasado al Lado Oscuro.)*

5. El señor Rochester. *(Personaje de ficción, pero estoy de acuerdo con que emana una masculinidad ruda.)*

6. Patrick Swayze. *(Hum…, vale, quizá en* Dirty Dancing, *pero ¿le has visto últimamente? ¡Es más viejo que tu padre!)*

7. Capitán Von Trapp, de *Sonrisas y lágrimas*. *(Christopher Plummer estaba buenísimo. Le enfrentaría a los nazis otra vez, como en aquella película…)*

8. Justin Baxendale. *(De acuerdo. He oído que una veterana intentó suicidarse porque él la había mirado. En serio. Como si sus ojos fuesen hipnóticos, ella se transformó en Sylvia Plath. Ahora va al psicólogo.)*

9. Heath Ledger. *(Oooh, en aquella película roquera salía increíblemente guapo. Aunque no tanto en* Las cuatro plumas. *Me parece un poco forzado en esa. Además, no se quitó la camisa suficientes veces.)*

10. La Bestia de *La Bella y la Bestia*. *(Creo que conozco a alguien que necesita ir al psicólogo.)*

Martes, 20 de enero, clase de Genios y Talentos

Estoy muy deprimida.

Sé que no debería estarlo. Quiero decir que todo me va de maravilla en la vida.

Maravilla Número Uno: El chico del que llevo locamente enamorada casi toda la vida me ama, o al menos le gusto, y el viernes saldremos en nuestra primera cita de verdad.

Maravilla Número Dos: Sé que solo es el primer día del segundo semestre, pero de momento no estoy suspendiendo nada, ni siquiera Álgebra.

Maravilla Número Tres: Ya no estoy en Genovia, el lugar más aburrido de todo el planeta, con la posible excepción de la clase de Álgebra y las clases de princesa de Grandmère.

Maravilla Número Cuatro: Ya no tengo a Kenny de compañero en Bío. Mi nueva compañera es Shameeka. ¡Menudo alivio! Sé que es de cobardes (sentir alivio por no tener que volver a sentarme al lado de Kenny), pero estoy bastante segura de que Kenny me considera una persona horrible por haberle hecho albergar ilusiones durante todos esos meses, cuando en realidad a mí me gustaba otro —aunque no el que él creía—. En fin, el hecho de que no tenga que soportar las miradas hostiles de Kenny —que por cierto, no ha perdido el tiempo; ahora tiene otra novia, una chica de nuestra clase de Bío— sin duda me ayudará a sacar mejor nota. Además, Shameeka es una fiera en ciencias. En realidad, Shameeka es una fiera en muchas cosas, no en vano es Piscis. Pero, como yo, Shameeka no posee un talento particular, lo que la convierte en mi alma gemela, ahora que lo pienso.

Maravilla Número Cinco: Tengo muy buenos amigos que parecen querer de verdad salir conmigo, y no solo porque sea una princesa.

Pero ese es precisamente el problema. Tengo todas esas maravillas y debería estar muy contenta. Debería estar entusiasmada.

Y es probable que solo sea el efecto del *jet lag* (estoy tan cansada que apenas consigo mantener los ojos abiertos; o quizá sea el síndrome premenstrual: estoy segura de que mi reloj interno se ha estropeado con tanto vuelo intercontinental), pero no consigo quitarme de encima la sensación de que soy...

Bueno, una marginada total.

Empecé a darme cuenta a la hora del almuerzo. Estaba sentada, como siempre, con Lilly, Boris, Tina, Shameeka y Ling Su, y entonces Michael vino y se sentó con nosotras, lo cual causó sensación en la cafetería, ya que suele sentarse con los del Club de Informática, y todo el instituto lo sabe.

Y yo estaba muy abochornada pero, por supuesto, también orgullosa y complacida, porque Michael nunca se sentó en nuestra mesa cuando solo éramos amigos, así que este detalle debe de significar que al menos está un poquito enamorado de mí, porque es un sacrificio considerable renunciar a las conversaciones intelectuales de la mesa donde normalmente se sienta para almorzar por las conversaciones que solemos tener en la mía, que por lo general consisten en, por ejemplo, analizar en profundidad el último episodio de *Embrujadas* y de lo mono que era el top que llevaba una de las actrices. Cosas así.

Pero Michael tiene mucho espíritu deportivo, aunque opina que *Embrujadas* es una serie muy frívola y superficial. Y yo intenté desviar la conversación hacia temas que podrían interesar a un chico, como *Buffy Cazavampiros* y Milla Jovovich.

Solo que resultó que no había necesidad de hacerlo, porque Michael es de esas polillas de las que nos hablan en clase de Bío. Sí, las que se volvieron negras cuando el musgo del que se alimentaban quedó cubierto de hollín durante la revolución industrial. Pueden adaptarse a cualquier situación y sentirse cómodos. Es un talento asombroso que me encantaría poseer. Si lo tuviera, quizá no me sentiría tan fuera de lugar en las reuniones de la Asociación de Olivareros de Genovia.

En fin. El caso es que durante el almuerzo alguien de nuestra mesa sacó el tema de la clonación y todos empezaron a decir a quién elegirían clonar si pudiesen hacerlo, y contestaron que, por ejemplo, a Albert Einstein, para que pudiera volver y explicarnos el significado de la vida y demás, o a Jonas Salk, para que pudiese encontrar un remedio contra el cáncer, o a Mozart, para que pudiese acabar su réquiem póstumo (esta fue la opción de Boris, por supuesto), o a madame Pompadour, para que pudiese darnos trucos y consejos sobre las relaciones sentimentales (Tina), o a Jane Austen, para que pudiese escribir su versión mordaz del clima político actual y todos pudiésemos beneficiarnos de su agudeza intelectual (Lilly).

Y entonces Michael dijo que él clonaría a Kurt Cobain, porque era un genio musical y murió muy joven. Y luego me preguntó a quién clonaría yo, y a mí no se me ocurría a nadie, porque en realidad no hay nadie muerto a quien quisiera recuperar, excepto quizá Grandpère, pero ¿no sería algo espeluznante? Y a Grandmère probablemente le daría un soponcio. Así que contesté que a Fat Louie, porque le adoro y no me importaría tener a dos como él.

Nadie pareció muy impresionado, excepto Michael, que dijo: «Qué bonito», y seguro que solo lo dijo porque es mi novio.

Pero, bueno, hasta ahí lo sobrellevé. Estoy más que acostumbrada a ser la única persona que conozco que se sienta a ver *Empire Records* siempre que la emiten por televisión y que la considera una de las mejores películas de la historia (después de *La guerra de las galaxias* y de *Dirty Dancing* y de *Un gran amor* y de *Pretty Woman*, claro está. Ah, y de *Temblores* y de *Tornado*).

Prefiero guardar en secreto que no soy capaz de perderme ni una sola edición del concurso de belleza *Miss America*, aunque sé que es denigrante para las mujeres y que no le conceden ninguna subvención porque ninguna chica con una talla superior a la 36 consigue participar en él.

Quiero decir que sé todo eso sobre mí. Soy así y aunque he intentado mejorar viendo películas sobre el esfuerzo y la recompensa y el sacrificio, como *Tigre y dragón* y *Gladiator*, no sé, no me gustan. Todo el mundo muere al final y, además, si no salen bailes ni explosiones, me cuesta mucho mantener la atención.

De modo que, vale, estoy intentando aceptar todas estas cosas sobre mí. Son las que me hacen ser como soy. Por ejemplo, se me da bien la Lengua pero no el Álgebra. En fin.

Pero no fue hasta que llegamos al aula de Genios y Talentos, después de almorzar, y después de que Lilly se pusiese a trabajar en el episodio de esta semana de su programa por cable *Lilly lo cuenta tal y como es*, y después de que Boris sacara el violín y empezara a tocar un *concerto* —por desgracia, no en el armario del material porque todavía no han vuelto a colocar la puerta—, y después de que Michael se pusiese los auriculares y empezara a trabajar en una nueva canción para su banda, cuando finalmente caí en la cuenta: no hay ni una sola cosa que se me dé especialmente bien. Es más: si no fuese por el hecho de que soy una princesa, sería la persona viva más vulgar del planeta. Ni siquiera sé surfear ni tejer una pulsera de la amistad. No sé hacer NADA.

Me refiero a que todos mis amigos saben hacer cosas increíbles: Lilly sabe todo lo que hay que saber y no se ruboriza delante de la cámara. Michael no solo sabe tocar la guitarra, sino como cincuenta instrumentos más, entre ellos el piano y la batería, y además sabe diseñar programas informáticos. Boris ha participado con su violín en conciertos en el Carnegie Hall (con las entradas agotadas) desde que tenía unos once años. Tina Hakim Baba es capaz de leer cosa de un libro diario y retener lo que ha leído y después citarlo de forma textual, y Ling Su es una artista con mucho talento. La única persona sentada a nuestra mesa durante el almuerzo que, aparte de mí, no posee ningún don especial es Shameeka, y eso me hizo sentir un poco mejor… solo un minuto, antes de recordar que Shameeka es muy inteligente y guapa y saca sobresalientes y que gente que trabaja en agencias de modelos no hace más que acercarse a ella en, por ejemplo, tiendas de lujo cuando está comprando con su madre, para ofrecerse como representantes (aunque el padre de Shameeka dice que su hija solo será modelo por encima de su cadáver).

Pero ¿yo? No sé ni cómo puedo gustarle a Michael, de tan aburrida y carente de talento como soy. Supongo que es bueno que mi destino de convertirme en monarca de un país esté sellado, porque si tuviera que salir a buscar trabajo en alguna otra parte, no lo conseguiría, porque nada se me da bien.

Así que aquí estoy, sentada en el aula de Genios y Talentos, y nada puede remediar esta verdad básica y fundamental: yo, Mia Thermopolis, no soy un genio y no tengo ningún talento.

¿¿¿QUÉ HAGO AQUÍ??? ¡¡¡ESTE NO ES MI SITIO!!! ¡¡¡MI SITIO ESTÁ EN LA CLASE DE PRETECNOLOGÍA!!! ¡¡¡O EN LABORES DEL HOGAR!!! ¡¡¡DEBERÍA ESTAR HACIENDO UNA JAULA CON PALILLOS O UN PASTEL!!!

Justo mientras escribía esto, Lilly se ha inclinado sobre mí y me ha dicho: «Oh, Dios mío, ¿se puede saber qué te pasa? Tienes todo el aspecto de acabar de comerte un calcetín», que es lo que decimos cuando alguien parece muy deprimido, porque es el aspecto que Fat Louie tiene siempre que accidentalmente se come uno de mis calcetines y tengo que llevarle al veterinario para que se lo extraigan.

Gracias a los auriculares que llevaba puestos, Michael no la oyó, por suerte. No habría sido capaz de confesar delante de él lo que un minuto después le confesé a su hermana (que soy una farsante sin talento), porque entonces él habría sabido que no me parezco en nada a Kate Bosworth y me habría dejado.

—Solo me incluyeron en esta clase porque suspendía Álgebra —le dije.

Entonces Lilly contestó algo del todo sorprendente. Sin pestañear siquiera, me soltó:

—Tienes un talento.

La miré perpleja y con los ojos como platos y, me temo, llenos de lágrimas.

—Ah, ¿sí? ¿Cuál?

Me asustaba romper a llorar allí mismo. Sí, debo de tener el síndrome premenstrual o algo, porque estaba a punto de ponerme a berrear.

Pero, para mi decepción, lo que dijo Lilly fue:

—Bueno, si no eres capaz de averiguarlo por ti misma, yo no voy a decírtelo. —Cuando protesté, ella añadió—: Parte del viaje hacia la realización personal es que la alcances por ti misma, sin la ayuda ni la orientación de los demás. De lo contrario, no tendrás ninguna sensación de logro. Pero lo tienes delante de las narices.

Miré a mi alrededor, pero no conseguía saber de qué me hablaba. Nadie me miraba a la cara, que yo viera. Nadie me miraba en absoluto. Boris rascaba las cuerdas con el arco y Michael aporreaba el teclado con furia (y en silencio); eso era todo. Los demás estaban inclinados sobre sus libros o garabateaban o hacían esculturas de arcilla o lo que sea.

Y yo seguía sin tener la menor idea de a qué se refería Lilly. No tengo ningún talento…, salvo quizá el de saber distinguir entre un tenedor de carne y otro de pescado.

No puedo creer que todo cuanto creía que necesitaba para conseguir la realización personal fuera el amor del hombre a quien he entregado mi corazón. Saber que Michael me ama (o que al menos le gusto) solo empeora las cosas. Porque su increíble multitalento hace incluso más evidente el hecho de que a mí no se me dé bien nada.

Ojalá pudiese ir a la enfermería y dormir un rato. Pero no te permiten hacerlo a menos que tengas fiebre, y yo estoy segura de que solo tengo *jet lag*.

Sabía que iba a ser un mal día. Si me hubiese puesto la ropa interior de la reina Amidala, no habría tenido que enfrentarme cara a cara con mi cruda realidad.

Martes, 20 de enero, clase de Civ. del Mundo

Inventor	Invento	Beneficios para la sociedad	Coste para la sociedad
Samuel F. B. Morse	Telégrafo	Más facilidad de comunicación	Contaminación visual (cables)
T. A. Edison	Luz eléctrica	Más facilidad para encender las luces; menos cara que las velas	La sociedad no confió en él; ningún éxito al principio
Ben Franklin	Pararrayos	Menos peligro de que cayera uno en casa	Feo
Eli Whitney	Cotton gin	Menos esfuerzo	Menos empleo
A. Graham Bell	Teléfono	Más facilidad de comunicación	Contaminación visual (cables)
Elias Howe	Máquina de coser	Menos esfuerzo	Menos empleo
C. Sholes	Máquina de escribir	Trabajo más fácil	Menos empleo
Henry Ford	Automóvil	Transporte más veloz	Contaminación

Jamás inventaré nada, ni beneficioso ni perjudicial para la sociedad, porque soy un fracaso sin talento. ¡¡¡Ni siquiera conseguiré que en el país que algún día gobernaré se instalen PARQUÍMETROS!!!

Álgebra: problemas del principio del capítulo 11 (no hay clase de repaso; el señor G. tiene claustro de profesores. Además, acaba de empezar el semestre, así que no hay nada que repasar. ¡¡¡Además, ya no suspendo!!!).

Lengua: actualizar el diario («Qué he hecho durante las vacaciones de Navidad», 500 palabras).

Bío: leer el capítulo 13.

Salud y Seguridad: leer el capítulo 1: «Tú y tu entorno».

G y T: descubrir talento oculto.

Francés: *chapitre dix*.

Civ. del Mundo: capítulo 13: «El nuevo mundo».

Martes, 20 de enero, en la limusina, camino de la lección de princesa con Grandmère

COSAS QUE HACER

1. Buscar la ropa interior de la reina Amidala.
2. Dejar de obsesionarme por si Michael solo me quiere o además está enamorado de mí. Ser feliz con lo que tengo. Recuerda: muchísimas chicas ni siquiera tienen novio. O tienen novios muy zafios, con los dientes enormes y salidos.
3. Llamar a Tina para comparar nuestros respectivos apuntes sobre la experiencia de no perseguir a los chicos.
4. Hacer todos los deberes. ¡¡¡No empezar a acumularlos ya!!!
5. Envolver el regalo de Michael.
6. Averiguar de qué hablaron anoche Grandmère y mamá. Oh, Dios mío, por favor, no dejes que sea algo raro como que quiere llevarme a practicar el tiro al plato. No quiero disparar a ningún plato.
7. Dejar de morderme las uñas.
8. Comprar arena para gatos.
9. Descubrir mi talento oculto. Si Lilly sabe cuál es, debe de ser bastante obvio, pues aún no ha reparado en lo de mi nariz.
10. ¡¡¡¡¡¡DORMIR UN POCO!!!!!! A los chicos no les gustan las chicas con bolsas enormes y moradas debajo de los ojos, algo nada propio del estilo de Kate Bosworth. Ni siquiera a los chicos perfectos como Michael.

Martes, 20 de enero, aún en la limusina camino de la lección de princesa con Grandmère

Anteproyecto para el diario de Lengua:

QUÉ HE HECHO EN LAS VACACIONES DE NAVIDAD

He pasado las vacaciones de Navidad en Genovia, un pequeño país de 50.000 habitantes. Genovia es un principado situado en la Côte d'Azur, entre Italia y Francia. El principal producto de exportación del país es el aceite de oliva. El de importación, los turistas. Sin embargo, recientemente, Genovia ha empezado a sufrir graves desperfectos en sus infraestructuras debido a los visitantes procedentes de los numerosos cruceros que recalan en su puerto y...

Miércoles, 21 de enero, en el aula

Oh, Dios mío. Ayer debía de estar incluso más cansada de lo que creía. Por lo visto me quedé dormida en la limusina mientras iba a ver a Grandmère ¡y Lars no consiguió despertarme para que asistiera a la lección de princesa! Dice que cuando lo intentó, le arreé un bofetón y le llamé algo feo en francés (eso es culpa de François, no mía).

Así que hizo dar la vuelta a Hans y me llevó a casa. Una vez allí, Lars me subió en brazos los tres tramos de escalera que nos separaban de mi habitación —y no fue poca cosa, porque peso tanto como cinco Fat Louie juntos— y mi madre me acostó.

Tampoco me desperté para cenar. ¡Dormí hasta las siete de la mañana! Es decir, quince horas del tirón.

Uau. Debía de estar exhausta de toda la emoción de volver a casa y ver a Michael, supongo.

O quizá sí tenía *jet lag*, y todo el soy-una-farsante-sin-talento de ayer no está arraigado en mi falta de amor propio sino que se debía a un desequilibrio químico, consecuencia de la falta de sueño REM. Ya sabes, dicen que las personas a las que se las priva de sueño pronto empiezan a sufrir alucinaciones. Hubo un DJ que permaneció despierto once días consecutivos, el periodo más largo de vigilia del que se tiene constancia, y acabó poniendo solo música de Phil Collins; así es como supieron que había llegado el momento de llamar a la ambulancia.

Pero incluso después de quince horas de sueño, sigo sintiéndome una farsante sin talento. Bueno, al menos hoy no lo siento como si fuera una tragedia. Creo que dormir quince horas del tirón me ha proporcionado cierta perspectiva. Quiero decir que no todo el mundo puede ser un supergenio, como Lilly y Michael. Del mismo modo que no todo el mundo puede ser un virtuoso del violín, como Boris. Tengo que estar dotada para algo. Solo necesito descubrir de qué se trata. Hoy, durante el desayuno, le pregunté al señor G. en qué cree él que estoy dotada, y él dijo que de vez en cuando hago comentarios muy interesantes sobre la moda.

Pero no puede ser eso a lo que Lilly se refería, pues en el momento en que mencionó mi misterioso talento yo llevaba el uniforme del instituto, que apenas deja espacio para la expresión creativa.

La observación del señor G. me recordó que todavía no he encontrado la ropa interior de la reina Amidala, pero no iba a preguntarle a mi padrastro si la había visto. ¡PUAJ! Intento no mirar la ropa interior del señor Gianini cuando llega de la lavandería, toda limpia y doblada, y, cosa de agradecer, él tiene la misma gentileza conmigo.

Y tampoco podía preguntárselo a mi madre, porque esta mañana parecía que volvía a estar en coma profundo. Supongo que las mujeres embarazadas necesitan tantas horas de sueño como los adolescentes y los DJ.

De todos modos, será mejor que la encuentre antes del viernes, porque de lo contrario mi primera cita con Michael será un desastre total, estoy segura. No sé, podría ocurrir que abriera el regalo y dijera algo así como: «Eh…, bueno, supongo que lo que cuenta es la intención».

Creo que tendría que haber seguido las normas de la señora Hakim Baba y haberle comprado un jersey.

¡Pero Michael no es de los que se ponen jerséis! Me di cuenta esta mañana, al aparcar delante de su apartamento. Nos esperaba en la acera, con ese porte suyo tan estilizado y viril y apuesto…, con la única diferencia de que no es rubio, sino moreno.

131

Y su bufanda ondeaba al viento, y eso me permitió verle parte del cuello, ya sabes, justo debajo de la nuez y justo encima de la abertura de la camisa, la parte donde, según me explicó Lars una vez, si das un golpe lo bastante fuerte, podrías paralizar a alguien. El cuello de Michael es tan bonito…, y tan suave y cóncavo… que solo pude pensar en el señor Rochester, allá, en Mesrour, a lomos de su caballo, meditando sobre el gran amor que siente por Jane…

Y entonces supe, con total seguridad, que había acertado al no comprarle un jersey a Michael. Quiero decir que Kate Bosworth nunca regalaría un jersey a su novio. Por favor.

En fin. Michael me vio y sonrió y ya no se parecía al señor Rochester, porque el señor Rochester nunca sonríe.

Solo se parecía a Michael. Y el corazón me dio un vuelco, como me pasa siempre que le veo.

—¿Estás bien? —quiso saber en cuanto subió a la limusina. Sus ojos, tan oscuros que parecen negros (como las turberas que el señor Rochester siempre esquivaba en el páramo, porque si pisas una turbera podrías hundirte hasta la cabeza y desaparecer para siempre…, lo que en cierto modo es lo que me ocurre cada vez que miro a Michael a los ojos: empiezo a caer y a caer y estoy segura de que nunca podré volver a salir, pero no pasa nada, porque me encanta estar allí), se clavaron en los míos. Los míos solo son grises, el color de las aceras de Nueva York. O de los parquímetros—. Te llamé anoche —añadió Michael, y su hermana le empujó para hacerse sitio y poder subir a la limusina—. Tu madre me dijo que te habías dormido…

—Estaba agotada —contesté, encantada por ver que parecía haberse preocupado por mí—. He dormido quince horas seguidas.

—Pues vale —comentó Lilly. Era evidente que no le interesaban los detalles de mi ciclo de sueño—. He tenido noticias de los productores de tu película.

Me sorprendió.

—¿De verdad? ¿Qué dicen?

—Me han pedido que asista a una reunión con desayuno incluido —explicó Lilly, dando la impresión de no querer alardear. Aunque no lo estaba consiguiendo demasiado, la verdad. Su voz rezumaba deleite—. El viernes por la mañana. Así que no hará falta que paséis a buscarme.

—Uau —dije, maravillada—. ¿Una reunión con desayuno? ¿De verdad? ¿Habrá *bagels*?

—Es probable.

Estaba impresionada. A mí nunca me había invitado ningún productor a una reunión con desayuno. Solo el embajador de España en Genovia.

Le pregunté a Lilly si ya había elaborado una lista con peticiones a los productores, y contestó que sí, pero que no pensaba decirme cuáles eran.

Creo que voy a tener que ver la película y averiguar qué es lo que la ha enfurecido tanto. Mi madre la tiene grabada. Dice que es una de las cosas más graciosas que ha visto nunca.

Claro que mi madre se troncha de risa viendo *Dirty Dancing*, incluso en las partes que se supone que no son graciosas, así que no sé si su opinión es muy válida.

Oh, oh. Una de las animadoras (no Lana, por desgracia) se ha roto el tendón de Aquiles practicando pilates en el descanso, por lo que están anunciando que van a hacer pruebas para seleccionar a una suplente, ya que a la que tenían la han enviado a un instituto femenino de Massachussets por haberse pasado un poquito con una fiesta que organizó en su casa mientras sus padres estaban en la Martinica.

Espero sinceramente que Lilly esté demasiado ocupada protestando contra la película sobre mi vida para protestar también contra las pruebas para animadoras. El pasado semestre me hizo ir por ahí con un cartel enorme en el que ponía: «LA FUNCIÓN DE LAS ANIMADORAS ES SEXISTA Y NO ES UN DEPORTE», lo cual ni siquiera estoy segura de que sea técnicamente verdad, ya que se celebran campeonatos anuales de animadoras. Pero es cierto que en nuestro instituto no hay animadores para los equipos femeninos. Lana y su panda nunca aparecen en los partidos de baloncesto o de voleibol de las chicas, aunque jamás se pierden los de los chicos. Así que quizá sí sea verdad que es sexista.

Oh, Dios mío, acaba de entrar un becario con un PERMISO para mí. ¡Un permiso para mí! ¡Me reclaman en el despacho! ¡Pero si no he hecho nada! Bueno, al menos esta vez.

Miércoles, 21 de enero, despacho de la directora Gupta

No puedo creer que solo llevemos dos días de semestre y ya esté sentada en el despacho de la directora. Vale, puede que no acabara los deberes, pero tengo una nota de mi padrastro. Esta mañana, nada más llegar, la dejé en recepción. Dice así:

Por favor, dispensen a Mia por no haber hecho los deberes asignados para el martes, 20 de enero. Estaba muy afectada por el jet lag y la pasada tarde fue incapaz de atender a sus obligaciones académicas. Obviamente, recuperará el trabajo esta misma tarde.

Frank Gianini

Es un fastidio que tu padrastro sea también tu profesor, la verdad.

Pero ¿por qué iba a objetar a esto la directora Gupta? Me refiero a que, vale, ya sé que es solo el segundo día de clase y ya he empezado a quedarme atrás, pero no tan atrás, ¿no?

Y hoy ni siquiera he visto a Lana, así que no he podido hacerle nada, ni a ella ni a sus pertenencias.

OH, DIOS MÍO. Acabo de caer. ¿Y si se han dado cuenta de que han cometido un error incluyéndome de nuevo en la clase de Genios y Talentos? Porque no soy un genio ni tengo ningún talento, quiero decir. ¿Y si solo me incluyeron por algún error informático que ahora han corregido, y piensan trasladarme a Pretecnología o a Labores del Hogar, donde realmente debo estar? ¡¡¡Tendré que hacer un especiero!!! O peor aún: ¡¡¡una tortilla de patatas!!!

¡Y no volveré a ver a Michael! Vale, le veré camino del instituto o durante el almuerzo y después de clase y los fines de semana y en vacaciones, pero nada más. Sacándome de la clase de Genios y Talentos, ¡estarán privándome de horas enteras de Michael por semana! La verdad es que en clase no hablamos mucho, porque él sí es un genio y tiene talento, no como yo, y necesita esa hora para afinar sus habilidades musicales en lugar de ayudarme a mí, cosa que casi siempre acaba haciendo debido a mi inutilidad con el Álgebra.

Aun así, al menos estamos juntos.

¡Oh, Dios mío! ¡Es horrible! Si realmente poseo un talento (cosa que dudo), ¿POR QUÉ no pudo decirme Lilly cuál es? Así ahora podría echárselo en cara a la directora Gupta cuando intente deportarme a la clase de Pretecnología.

Espera… ¿a quién pertenece esa voz? La que sale del despacho de la directora Gupta… Me resulta algo familiar… Se parece un poco a…

Miércoles, 21 de enero,
en la limusina de Grandmère

No puedo creer que Grandmère acabe de hacer algo así. Por favor, ¿qué clase de persona es capaz de hacer algo así: arrancar a una adolescente del instituto sin más?

Se supone que es adulta. Se supone que debe ser un buen ejemplo para mí.

¿Y qué es lo que hace?

Bueno, en primer lugar, suelta una BOLA enorme y después se me lleva del instituto con excusas falsas.

De una cosa estoy segura: si mamá o papá se enteran de esto, Clarisse Renaldo será mujer muerta.

Un día de estos va a provocarme un infarto. Suerte que tengo el colesterol y lo demás bajo gracias a mi dieta vegetariana, porque si no podría haber sufrido un ataque allí mismo, de lo que me ha llegado a asustar cuando ha dicho, al salir del despacho de la directora Gupta:

—Bueno, sí, por supuesto, estamos rezando porque se recupere pronto, aunque ya sabe cómo suelen ir estas cosas…

En cuanto la vi me quedé blanca de golpe. Y no solo porque, ya sabes, fuera Grandmère y hablara con la directora Gupta, precisamente con ella, sino por lo que estaba diciendo.

Me puse en pie de un salto con el corazón desbocado; creía que me iba a salir disparado del pecho.

—¿Qué ocurre? —pregunté, presa del pánico—. ¿Es mi padre? ¿Se le ha reproducido el cáncer? ¿Es eso? Podéis decírmelo, lo aceptaré.

Por el modo en que Grandmère se dirigía a la directora Gupta, estaba segura de que a mi padre se le había reproducido el cáncer de testículo y que iba a tener que volver a someterse a tratamiento…

—Te lo contaré en el coche —me dijo Grandmère, muy rígida—. Vamos.

—No —insistí, corriendo tras ella y Lars corriendo tras de mí—. Puedes decírmelo ahora, lo aceptaré. Lo juro. ¿Está bien papá?

—No te preocupes por los deberes, Mia —me gritó desde la puerta del despacho la directora Gupta—. Preocúpate solo por estar al lado de tu padre.

¡Así que era verdad! ¡Mi padre estaba enfermo!

—¿Es cáncer otra vez? —le pregunté a Grandmère al salir del edificio y dirigirnos a la limusina, que estaba aparcada delante del león de piedra que custodia la escalera de entrada al Instituto Albert Einstein—. ¿Qué opinan los médicos? ¿Tiene remedio? ¿Necesita un trasplante de médula? Porque quizá yo sea una donante compatible; tenemos el mismo pelo. Al menos, creo que este es el aspecto que debía de tener su pelo en el pasado…

No fue hasta que subimos a la limusina y cerramos las puertas cuando Grandmère me dirigió una mirada irritada y dijo:

—Amelia, por favor. A tu padre no le pasa nada. Es a ese instituto al que sí le pasa algo. Mira que no permitir ninguna falta de asistencia de los alumnos salvo en caso de enfermedad… ¡Es ridículo! A veces las personas necesitan un día libre. Un día de asuntos personales, como creo que lo llaman. Muy bien. Hoy, Amelia, es tu día de asuntos personales.

Seguí mirándola, parpadeando desde mi lado de la limusina. No daba crédito a lo que estaba oyendo.

—Espera un momento —dije—. Quieres decir que… ¿papá no está enfermo?

—*Pfuit!* —contestó Grandmère, con las cejas pintadas bien arqueadas—. Parecía ciertamente sano cuando hablé con él esta mañana.

–Entonces, ¿qué…? –No podía despegar los ojos de ella–. ¿Por qué le dijiste a la directora Gupta…?

–Porque de otro modo no te habrían permitido ausentarte de clase –explicó Grandmère, consultando su reloj de oro y diamantes–. Y lo cierto es que ya vamos tarde. Realmente no hay nada peor que un educador con exceso de celo. Creen que ayudan cuando lo cierto es que existen numerosas modalidades de enseñanza. Y no todas tienen lugar en un aula.

Empezaba a atisbar la luz. Grandmère no me había sacado del instituto en mitad del día porque nadie de mi familia estuviese enfermo. No. Grandmère me había sacado del instituto porque quería enseñarme algo.

–¡Grandmère! –grité, apenas capaz de creer lo que estaba oyendo–. No puedes plantarte en el instituto y llevárteme siempre que se te antoje. ¡Y tampoco puedes decirle a la directora Gupta que mi padre está enfermo cuando no lo está! ¿Cómo has podido decir algo así? ¿Acaso no sabes nada de las profecías que se cumplen solas? Quiero decir que si te pasas la vida yendo por ahí y mintiendo sobre cosas como esa, lo que digas podría hacerse realidad y…

–No seas ridícula, Amelia –me atajó Grandmère–. Tu padre no va a tener que volver al hospital solo porque yo le dijera una mentira piadosa a una funcionaria.

–No sé cómo puedes estar tan segura de eso –repuse muy enfadada–. Y, además, ¿adónde crees que me llevas? No puedo permitirme ausentarme de la mitad de las clases, ¿sabes, Grandmère? Me refiero a que no soy tan inteligente como la mayoría de mis compañeros y tengo que ponerme al día, gracias al hecho de haberme acostado tan temprano anoche…

–Oh, lo siento –dijo Grandmère con voz sarcástica–. Sé cuánto te gustan las clases de Álgebra. Estoy segura de que la echarás mucho de menos hoy…

Vale, admito que tenía razón. Al menos, en parte. Aunque no estaba nada entusiasmada con el método que había escogido, el hecho de que Grandmère me librase del álgebra no era exactamente un motivo para echarse a llorar. Sí, lo confieso: las integrales no son mi fuerte.

—Bueno, pero, vayamos donde vayamos —dije, con voz severa—, será mejor que estemos de vuelta a la hora del almuerzo, porque Michael se extrañará si no…

—Oh, no. Otra vez «ese chico» —soltó Grandmère, mirando al techo de la limusina con un suspiro.

—Sí, «ese chico» —insistí—. «Ese chico» a quien da la casualidad de que amo con toda el alma y todo el corazón. Y, Grandmère, si al menos le conocieras, sabrías que…

—Ah, hemos llegado —volvió a interrumpirme Grandmère, con cierto alivio, mientras su chófer aparcaba—. Por fin. Sal, Amelia.

Bajé de la limusina y miré a mi alrededor para averiguar adónde me había llevado Grandmère. Lo único que vi fue la tienda inmensa de Chanel que hay en la Cincuenta y Siete. Pero era imposible que fuéramos allí. ¿Verdad?

Sin embargo, cuando Grandmère desenredó a Rommel de la correa Louis Vuitton, lo dejó en el suelo y empezó a andar con paso firme hacia las grandes puertas de cristal, vi que la tienda de Chanel era exactamente el lugar adonde íbamos.

—¡Grandmère! —grité, corriendo tras ella—. ¿Chanel? ¿Me has sacado de clase para llevarme de compras?

—Necesitas un vestido —dijo Grandmère con otro suspiro— para el baile Blanco y Negro que la condesa Trevanni celebra este viernes. No conseguí cita antes.

—¿El baile Blanco y Negro? —repetí mientras Lars nos escoltaba al silencioso y blanco interior de Chanel, la *boutique* más exclusiva del mundo (la clase de tienda que, antes de saber que soy una princesa, me habría dado pavor incluso pisar…, aunque no puedo decir lo mismo de mis amigas, ya que una vez Lilly filmó todo un episodio de su programa por cable desde el interior de un probador de Chanel; se encerró en uno y empezó a probarse los últimos modelos de Karl Lagerfeld y se negó a salir hasta que el personal de seguridad tiró la puerta abajo y la escoltó hasta la calle; era un capítulo que hablaba de cómo los diseñadores de *haute couture* son totalmente «tallistas», pues resulta imposible encontrar pantalones de cuero de una talla mayor que la típica 36 de modelo)–. ¿Qué baile Blanco y Negro?

—Seguro que ya te lo ha explicado tu madre —dijo Grandmère mientras una mujer alta y delgada como un junco se acercaba a nosotras profiriendo gritos del tipo: «¡Su alteza real! ¡Qué placer verla!».

—Mi madre no me ha comentado nada de ningún baile —dije—. ¿Cuándo has dicho que se celebra?

—El viernes por la noche —contestó Grandmère. Y añadió en dirección a la dependienta—: Sí, creo que han apartado algunos vestidos para mi nieta. Pedí específicamente que fueran blancos. —Grandmère me miró con aire sabiondo—. Eres demasiado joven para vestirte de negro. Y no quiero que me lo discutas.

Discutir, ¿qué? ¿Cómo iba a discutir algo que ni había empezado a entender?

—Por supuesto —dijo la dependienta con una amplia sonrisa en los labios—. ¿Tiene la amabilidad de acompañarme, alteza?

—¿El viernes por la noche? —grité. Cuanto menos, esa parte de la información empezaba a captarla—. ¿El viernes por la noche? Grandmère, no puedo ir a ningún baile el viernes por la noche. Ya he hecho planes con…

Pero Grandmère se limitó a plantarme una mano en el centro de la espalda y a empujarme.

Y de pronto estaba siguiendo a la dependienta, que ni siquiera pestañeó, como si estuviera acostumbrada a que la persiguieran princesas con botas militares a todas horas.

Y ahora estoy sentada en la limusina de Grandmère de regreso al instituto, y en lo único que puedo pensar es en la cantidad de gente a la que me gustaría darle las gracias por el aprieto en que me encuentro, especialmente a mi madre, por olvidarse de decirme que ya le había dado permiso a Grandmère para que me arrastrase hoy de compras; a la condesa Trevanni, por celebrar un baile Blanco y Negro; a las dependientas de Chanel, quienes, aunque son muy amables, también son cómplices de mi abuela, pues le permitieron que me obligara a ponerme un modelo blanco diamante y llevarme a la fuerza a un acontecimiento al que no quiero asistir; a mi padre, por dejar suelta a su madre en el indefenso distrito de Manhattan sin que nadie la vigile, y, por supuesto, a la propia Grandmère, por arruinarme la vida por completo.

Porque cuando le dije, mientras los de Chanel me arrojaban kilómetros de tela encima, que no iba a poder asistir al baile Blanco y Negro el viernes por la noche, ya que es la noche de mi primera cita con Michael, ella me respondió con un sermón sobre que el primer deber de una princesa es para con su pueblo. Su corazón, dice Grandmère, debe quedar siempre en segundo plano.

Intenté explicarle que esta cita no puede posponerse ni reprogramarse, pues solo pasarán *La guerra de las galaxias* en la sala de proyección esa noche, y que después volverán a pasar *Moulin Rouge*, que yo no veré porque he oído que alguien muere al final.

Pero Grandmère se negó a ver que mi cita con Michael era casi tan importante como el baile Blanco y Negro de la condesa Trevanni. Al parecer, la condesa Trevanni es un miembro socialmente prominente de la familia real de Mónaco, además de nuestra prima lejana −¿y quién no lo es?−. Mi no asistencia al baile Blanco y Negro que celebra el viernes aquí, en la ciudad, con todos los demás príncipes debutantes, podría suponer un desaire del que la casa real Grimaldi jamás se recuperaría.

Comenté el detalle de que mi no asistencia a la proyección de *La guerra de las galaxias* con Michael podría suponer un desaire del que mi relación con mi novio no se recuperaría jamás. Pero Grandmère solo dijo que si Michael realmente me ama, entenderá que de vez en cuando tenga que darle plantón.

−Y si no lo entiende −añadió Grandmère, exhalando una bocanada de humo gris del Gitanes que fumaba−, entonces se confirma que no es adecuado como consorte potencial.

Lo cual es muy fácil de decir para Grandmère. Ella no ha estado enamorada de Michael desde niña. Ella no se pasa horas y más horas intentando escribir poemas en honor a su grandeza. Ella no sabe lo que es amar, ya que la única persona de quien Grandmère ha estado enamorada en su vida es de sí misma.

Sí, es cierto.

Y ahora volvemos al instituto. Es la hora del almuerzo. En un minuto tendré que entrar y explicarle a Michael que no podré acudir a nuestra primera cita, porque de lo contrario provocaría un incidente internacional del que el país que algún día gobernaré podría no recuperarse jamás.

¿Por qué no pudo enviarme Grandmère a un internado de Massachussets?

Miércoles, 21 de enero, hora de G y T

No pude decírselo.

Es que… ¿cómo iba a hacerlo? Con lo amable que estuvo conmigo durante el almuerzo… Daba la impresión de que todo el instituto sabía que Grandmère había venido a buscarme. Con su capa de piel de chinchilla, con esas cejas y con Rommel a su lado, ¿cómo iba a pasar inadvertida? Llama tanto la atención como Cher.

Todo el mundo estaba muy preocupado por la presunta enfermedad de alguno de mis parientes. En especial, Michael. Me dijo: «¿Puedo hacer algo? ¿Tus deberes de Álgebra o algo? Sé que no es mucho, pero al menos te ayudaría…».

¿Cómo iba a decirle la verdad: que mi padre no estaba enfermo, que mi abuela me había arrancado de allí para llevarme de compras? ¿Y para comprar un vestido que tendré que ponerme en un baile al que él no está invitado y que va a celebrarse exactamente a la hora en que se suponía que íbamos a disfrutar juntos de una cena y de una fantasía espacial ambientada en una lejana galaxia?

No pude. No pude decírselo. No pude decírselo a nadie. Seguí sentada durante el almuerzo, en silencio. Todo el mundo malinterpretó mi silencio como una honda aflicción. Y en realidad lo era, aunque no por los motivos que ellos creían. Básicamente, en lo único que pensaba en esos momentos era en que ODIO A MI ABUELA. ODIO A MI ABUELA. ODIO A MI ABUELA. ODIO A MI ABUELA.

De verdad, la odio de verdad.

En cuanto acabamos de almorzar, me escabullí hasta uno de los teléfonos públicos que hay junto a la puerta del auditorio y llamé a casa. Sabía que encontraría a mi madre allí y no en el estudio, porque aún está trabajando en las paredes de la

144

habitación del bebé. Ya va por la tercera, en la que está pintando una escena muy realista de la caída de Saigón.

—Oh, Mia —dijo cuando le pregunté si quizá no había olvidado decirme algo—. Lo siento mucho. Tu abuela llamó durante el programa del corazón. Ya sabes cómo me pongo cuando veo programas del corazón.

—Mamá —le dije, con los dientes apretados—. ¿Por qué le dijiste que podía asistir a ese estúpido baile? ¡Me diste permiso para salir con Michael esa noche!

—¿En serio? —Mi madre parecía confusa. Claro que no era de extrañar. Obviamente no recordaba la conversación que había mantenido conmigo sobre mi cita con Michael…, sobre todo porque mientras la mantenía estaba más dormida que despierta. Aun así, no tenía por qué saberlo. Lo importante era que se sintiera lo más culpable posible por el crimen atroz que había cometido—. Oh, cielo. Lo siento mucho. Bueno, tendrás que cancelar la cita con Michael. Él lo entenderá.

—¡Mamá! —grité—, ¡no lo entenderá! ¡Esta iba a ser nuestra primera cita de verdad! ¡Tienes que hacer algo!

—Bueno —dijo mi madre, con cierto tono irónico—. Me sorprende un poco que estés tan descontenta, cariño. Me refiero a tus intenciones de no perseguir a Michael. Cancelar tu primera cita concuerda bastante con tus planes.

—Muy graciosa, mamá —dije—, pero Jane no cancelaría su primera cita con el señor Rochester. Tal vez le avisaría con mucha antelación o bien le dejaría avanzar un pasito en su encuentro.

—Oh —dijo mi madre.

—Mira —insistí—. Esto es muy serio. ¡Tienes que librarme de ese estúpido baile!

Pero lo único que dijo mi madre fue que hablaría con mi padre al respecto. Sabía lo que eso significaba, claro: imposible librarme de ese baile. Mi padre jamás ha desatendido ninguno de sus compromisos profesionales por amor. En ese aspecto, es una princesa Margarita en toda regla.

Así que ahora sigo sentada aquí –intentando hacer los deberes de Álgebra, como siempre, porque no soy un genio ni tengo ningún talento–, sabiendo que en un momento u otro tendré que decirle a Michael que nuestra cita queda cancelada. Pero ¿cómo? ¿Cómo voy a hacerlo? ¿Y si se enfada tanto que no vuelve a invitarme a salir?

Peor aún: ¿y si invita a otra chica a ver *La guerra de las galaxias* con él? Me refiero a alguna chica que se sepa todas las frases que hay que gritar en un momento determinado de la película. Como cuando Ben Kenobi dice: «Obi-Wan. Hacía mucho tiempo que no oía ese nombre», y hay que gritar: «¿Cuánto?», y entonces Ben dice: «Mucho tiempo».

Debe de haber millones de chicas que lo saben, aparte de mí. Michael podría invitar a cualquiera de ellas y pasárselo de maravilla. Sin mí.

Lilly me está chinchando para que le diga qué ocurre. No deja de pasarme notas, porque están fumigando la sala de profesores, por lo que la señora Hill está aquí hoy, fingiendo corregir trabajos de la clase de informática. Pero en realidad está pidiendo cosas de un catálogo de ropa. Se lo he visto debajo del cuaderno de notas.

«¿Está enfermo tu padre? –decía la última nota de Lilly–. ¿Vas a volver a Genovia?»

«No», le contesté.

«Bueno, entonces, ¿qué ocurre? –La caligrafía de Lilly era ya más puntiaguda, señal inconfundible de que empezaba a impacientarse–. ¿Por qué no quieres decírmelo?»

«Porque –quise responderle en mayúsculas– la verdad desembocará en la defunción inminente de mi relación sentimental con tu hermano, ¡y no podría soportarlo! ¿Es que no ves que no puedo vivir sin él?»

Pero no pude escribir eso, porque todavía no estoy dispuesta a rendirme. Al fin y al cabo, ¿no soy una princesa de la casa real Renaldo? ¿Acaso las princesas de la casa real Renaldo se rinden sin más cuando algo que quieren de verdad, como yo quiero a Michael, está en juego?

No, no lo hacen. Mira a mis antepasadas, Agnes y Rosamunda. Agnes se tiró de un puente para conseguir lo que quería (no ser monja). Y Rosamunda estranguló a un tipo con su propio pelo (para no tener que acostarse con él). ¿Y yo, Mia Thermopolis, voy a permitir que algo insignificante como el baile Blanco y Negro de la condesa Trevanni se interponga en mi voluntad de disfrutar de mi primera cita con el hombre al que amo?

No, en absoluto.

Tal vez sea ese mi talento: la indomabilidad que heredé de las princesas Renaldo que me precedieron.

Enardecida por esta constatación, escribí una nota precipitada para Lilly: «¿Mi talento es que, igual que mis ancestros, soy indomable?».

Esperé ansiosa su respuesta. Aunque no sabía qué iba a hacer si me contestaba con un «sí». Porque ¿qué clase de talento es ser indomable? Me refiero a que uno no puede ganarse la vida con eso, a diferencia de tocar el violín o componer canciones o hacer programas para la televisión por cable.

Aun así, estaría bien saber que he descubierto mi talento yo sola. Bueno, al menos en lo concerniente a trepar por el árbol junguiano de la realización personal.

Pero la respuesta de Lilly fue muy decepcionante: «No, tu talento no es que seas indomable, zopenca. ¡Dios! ¡A veces eres tan corta! ¿¿¿QUÉ LE PASA A TU PADRE???».

Suspiré al caer en la cuenta de que no me quedaba más remedio que responder: «Nada. Grandmère solo quería llevarme a Chanel, así que se inventó que mi padre está enfermo».

«¡Dios! –contestó Lilly–. No me extraña que vuelvas a tener todo el aspecto de haberte comido un calcetín. Tu abuela es un horror.»

No podía estar más de acuerdo con ella. Ojalá Lilly supiera cuánto...

Miércoles, 21 de enero, sexta clase, en la escalera de la tercera planta

Reunión urgente de las seguidoras del método de gestión de novios de Jane Eyre. Es evidente que corremos el riesgo de que nos descubran en cualquier momento, pues estamos haciendo novillos de Francés para reunirnos aquí, en la escalera que sube al tejado —cuya puerta está cerrada con llave, claro; Lilly dice que en la película sobre mi vida, los chicos suben al tejado cada dos por tres; otro ejemplo de cómo el arte no retrata la vida real—, con el objetivo de poder apoyar y consolar a una de nuestras hermanas de sufrimiento.

Sí. Resulta que no soy la única para la que el semestre ha empezado mal. Tina no solo se hizo un esguince en el tobillo en las pistas de esquí de Aspen, sino que también ha recibido este mensaje de Dave Farouq El-Abar en el móvil durante la quinta clase: «NO VOLVISTE A LLAMAR. VOY CON JASMINE AL PARTIDO DE LOS RANGERS. QUE TENGAS UNA VIDA FELIZ».

En toda mi vida había visto nada tan insensible como ese mensaje. Juro que se me heló la sangre al leerlo.

—¡Cerdo sexista! —exclamó Lilly cuando lo vio—. Ni te preocupes, Tina. Encontrarás a alguien mejor.

—No... no quiero a al... alguien mejor —respondió Tina entre sollozos—. ¡So... solo quie... quiero a Dave!

Se me rompía el corazón al verla sufrir de ese modo. Y no era solo un sufrimiento emocional, no: nos costó lo nuestro llegar a la tercera planta con sus muletas. He prometido permanecer a su lado mientras dure su angustia —Lilly la está instruyendo sobre las cinco etapas del duelo postseparación de Elisabeth Kübler-Ross: la negación: «No puedo creer que me haya hecho esto»; la ira: «Jasmine debe de ser una vaca que da besos con lengua en la primera cita»; la negociación: «Si le dijera que le llamaré sin falta todas las noches, tal vez aceptaría volver conmigo»; la depresión: «Jamás volveré a amar a un hombre», y la aceptación: «Bueno, la verdad es que era un poco egoísta»—. Claro que estar con Tina aquí, en lugar de en la clase de Francés, significa que me arriesgo a que me expulsen, lo cual suele ser el castigo por hacer novillos que se aplica en el Albert Einstein.

Pero ¿qué es más importante, mi expediente disciplinario o mi amiga?

Además, Lars vigila la escalera. Si el señor Kreblutz, el bedel jefe, se acerca, Lars silbará el himno nacional de Genovia, y nos pegaremos contra la pared, al lado de las viejas colchonetas del gimnasio (que huelen bastante mal, por cierto, y que sin duda constituyen un riesgo de incendio).

Aunque me siento muy triste por Tina, no puedo evitar la sensación de que su situación me ha dado una valiosa lección: que la técnica de gestión de novios de Jane Eyre no es necesariamente el método más fiable al que recurrir.

Aunque, según Grandmère, que consiguió conservar un marido durante cuarenta años, la forma más rápida de ahuyentar a un chico es perseguirle.

Y está claro que Lilly, que de todas nosotras es quien mantiene la relación más duradera, no persigue a Boris. En serio. En todo caso, es él quien la persigue a ella. Pero eso quizá es porque Lilly está demasiado atareada con sus juicios y proyectos varios para dedicarle más que una somera atención.

En algún punto entre ambas (Grandmère y Lilly) debe de residir la verdad sobre la relación satisfactoria con un hombre. Tengo que encontrarla como sea, porque te diré algo: si alguna vez recibo un mensaje de Michael como el que Tina acaba de recibir de Dave, haré el salto del ángel desde lo más alto del puente Tappan Zee. Y dudo mucho que ningún capitán guapo vaya a venir a rescatarme de las aguas (al menos, no entera: el Tappan Zee es mucho más alto que el Pont des Vièrges).

Y, por supuesto, ya sabes lo que eso significa. Me refiero a lo de Tina y Dave. Significa que no puedo cancelar mi cita con Michael. Ahora no. Ni hablar. No me importa si Mónaco empieza a lanzar misiles Scud al Parlamento de Genovia: no pienso asistir al baile Blanco y Negro. Grandmère y la condesa Trevanni van a tener que aprender a vivir con la decepción.

Porque en lo referente a nuestros hombres, las mujeres Renaldo no nos andamos con tonterías.

DEBERES

Álgebra: problemas del principio del cap. 11. ¿¿¿Algo más??? No lo sé, gracias a Grandmère.

Lengua: actualizar el diario («Qué he hecho en las vacaciones de Navidad», 500 palabras). ¿¿¿ALGO MÁS??? No lo sé, gracias a Grandmère.

Bío: leer capítulo 13. ¿¿¿ALGO MÁS??? No lo sé, gracias a Grandmère.

Salud y Seguridad: capítulo 1: «Tú y tu entorno». ¿¿¿ALGO MÁS??? No lo sé, gracias a Grandmère.

G y T: descubrir talento oculto.

Francés: *chapitre dix*. ¿¿¿ALGO MÁS??? No lo sé, ¡¡¡debido a los novillos!!!

Civ. del Mundo: capítulo 13: «El nuevo mundo». Comentar una noticia de actualidad que ilustre cómo la tecnología afecta a la sociedad.

Miércoles, 21 de enero, limusina, camino de vuelta a casa después de ver a Grandmère

Mientras que es probable que yo jamás llegue a averiguar cuál es mi talento (si es que tengo alguno), el de Grandmère es absolutamente obvio: Clarisse Renaldo posee un don extraordinario para destrozarme por completo la vida. Ahora ya tengo más que claro que ese ha sido su objetivo todo este tiempo. El simple meollo de la cuestión es que Grandmère no soporta a Michael. No porque le haya hecho nada, claro. Nunca le ha hecho nada, excepto tratar de maravilla a su nieta y hacerla la chica más feliz del planeta. Ni siquiera le conoce.

No, Grandmère no conoce a Michael porque él no pertenece a una familia real.

¿Que cómo sé yo esto? Bueno, se hizo bastante evidente hace un rato, cuando entré en su suite para asistir a la lección de princesa. ¿Adivinas quién llegaba justo entonces procedente de un partido de tenis en el New York Athletic Club, balanceando la raqueta y con un aire muy a lo Andre Agassi? Pues sí: el príncipe René.

—¿Qué haces TÚ aquí? —pregunté con un tono que Grandmère me reprochó más tarde (me dijo que mi pregunta no había sido nada propia de una dama, por el tono acusador, como si sospechara que René se traía algo entre manos, cosa que, por supuesto, era verdad; en Genovia casi tuve que darle un golpe en la cabeza para que me devolviera el cetro).

—Disfrutando de tu hermosa ciudad —fue la respuesta de René. Y entonces se excusó para ir a ducharse, porque, según dijo, volvía un poco «acalorado» del partido.

–Amelia –dijo Grandmère, con voz reprobatoria–, en serio, ¿te parecen maneras de saludar a tu primo?

–¿Por qué no está en clase? –quise saber.

–Para tu información –contestó Grandmère–, resulta que está de vacaciones.

–¿Todavía? Me parece muy sospechoso. ¿En qué clase de escuela empresarial, por muy francesa que sea, las vacaciones de Navidad duran hasta febrero?

–En escuelas como la de René –explicó Grandmère– se suelen prolongar las vacaciones de Navidad más que en Estados Unidos para que los alumnos puedan aprovechar al máximo la temporada de esquí.

–Pues yo no le he visto con los esquís –comenté con picardía.

–*Pfuit!* –fue, sin embargo, todo cuanto Grandmère opinó de mi comentario–. René ya ha disfrutado bastante de los descensos este año. Además, le encanta Manhattan.

Bueno, supongo que eso sí lo entendía. Me refiero a que Nueva York es la mejor ciudad del mundo. Sin ir más lejos, ¡el otro día un obrero de la construcción encontró en la Cuarenta y dos una rata de nueve kilos! ¡Una rata que solo pesa tres kilos menos que mi gato! Una cosa está clara: en París o en Hong Kong no se encuentran ratas de nueve kilos.

El caso es que seguíamos con la lección de princesa (ya sabes: Grandmère seguía informándome de todos los personajes a los que iba a conocer en el baile Blanco y Negro, entre los que se contaban los príncipes debutantes de este año, las hijas de los famosillos y otros presuntos miembros de la llamada «realeza estadounidense», que ingresaban en Sociedad, con ese mayúscula, y buscaban marido, aunque, en mi humilde opinión, lo que deberían buscar es un buen programa de estudios y tal vez también de voluntariado a media jornada, para enseñar a leer a vagabundos analfabetos), cuando de pronto se me ocurrió la solución a mi problema.

¿Por qué no podía ser Michael mi acompañante en el baile Blanco y Negro de la condesa Trevanni?

Vale, sí, no sería lo mismo que ver juntos *La guerra de las galaxias*. Y, sí, él iba a tener que ponerse un esmoquin, pero al menos estaríamos juntos. Al menos podría darle su regalo de cumpleaños fuera de los muros de hormigón del Instituto Albert Einstein. Al menos no tendría que cancelar nuestra cita del todo. Al menos el estado de los asuntos diplomáticos entre Genovia y Mónaco seguiría siendo de DefCon Cinco.

Pero ¿cómo, me pregunté, iba a convencer a Grandmère? En realidad, no había pronunciado palabra sobre el hecho de que la princesa me permitiese llevar un acompañante.

Aunque... ¿y todas esas debutantes? ¿Acaso no iban a llevar acompañantes ellas? ¿No era esa la función de la Academia Militar de West Point? ¿Proporcionar acompañantes a las debutantes para los bailes? Y si esas chicas podían llevar acompañante cuando ni siquiera eran princesas, ¿por qué yo no?

Cómo iba a conseguir que Grandmère me permitiera llevar a Michael al baile Blanco y Negro, después de nuestras largas discusiones sobre la conveniencia de no dejar que el objeto de tu amor sepa siquiera que te gusta, iba a ser un reto de primera magnitud. Decidí que tendría que empezar a ejercitar el tacto diplomático que Grandmère había tenido tantos problemas en enseñarme.

—Y, por favor, hagas lo que hagas, Amelia —decía Grandmère, mientras se sentaba y peinaba el escaso pelo de Rommel, como le había indicado que hiciera el veterinario—, no te quedes mirando mucho rato el *lifting* de la condesa. Sé que no te resultará fácil, pues parece que el cirujano hizo una buena chapuza. En realidad, no era ese el aspecto que deseaba tener Elena. No creo que quisiera parecerse a una lubina estrábica.

—Grandmère, con respecto al baile —empecé a decirle con sutileza—, ¿crees que a la condesa le importará que…, ya sabes…, lleve a alguien?

Grandmère me miró confusa por encima del cuerpo rosado y trémulo de Rommel.

—¿A qué te refieres? Amelia, dudo mucho que tu madre fuera a divertirse con la condesa Trevanni en el baile Blanco y Negro. Para empezar, no asistirá ningún otro hippy radical…

—No me refiero a mi madre —la interrumpí al constatar que quizá me había pasado con la sutileza—. Estaba pensando más bien en…, verás, un acompañante.

—Pero tú ya tienes acompañante. —Grandmère le ajustó a Rommel el collar con diamantes engastados.

—Ah, ¿sí? —No recordaba haberle pedido a nadie que se encargara de buscarme a un cadete de West Point.

—Por supuesto que sí —contestó Grandmère sin mirarme a los ojos—. El príncipe René se ha ofrecido muy generosamente a acompañarte al baile. Y bien, ¿por dónde íbamos? Ah, sí. Los gustos de la condesa para vestir. Creo que a estas alturas ya sabrás que no debes hacer el menor comentario (al menos, no en su presencia) sobre nada de lo que lleven tus anfitriones. Pero considero necesario advertirte que la condesa tiene tendencia a ponerse ropa que en cierto modo la rejuvenezca y que deje a la vista…

—¿René va a ser mi acompañante? —Me puse en pie de un salto. Estuve a punto de derramar el Sidecar de Grandmère—. ¿René va a llevarme al baile Blanco y Negro?

—Bien, sí —contestó Grandmère, con aire inocente…, tal vez demasiado inocente, en mi opinión—. Al fin y al cabo, es nuestro invitado en la ciudad, en el país, de hecho. Cabría esperar que tú, Amelia, estuvieras encantada de hacer que se sienta bien acogido y quisieras…

La miré con los ojos entornados.

—¿Qué está pasando aquí? —pregunté—. Grandmère, ¿estás intentando liarme con René?

—Por supuesto que no —contestó Grandmère. La sugerencia parecía haberla horrorizado de verdad. Pero las expresiones de Grandmère ya me han engañado otras veces. Sobre todo esa que pone cuando quiere que creas que solo es una ancianita indefensa—. Es incuestionable que has heredado la imaginación de tu madre. Tu padre nunca fue tan fantasioso como tú, Amelia, por lo que solo puedo estarle agradecida a Dios. No me cabe la menor duda de que me habría enviado a la tumba de forma prematura si hubiese sido tan caprichoso como tú tiendes a ser, jovencita.

—Bueno, ¿qué otra cosa puedo pensar? —le pregunté, sintiéndome algo avergonzada por mi arrebato. Después de todo, la idea de que Grandmère estuviera intentando liarme, a pesar de que solo tengo catorce años, con un príncipe con quien quiere que acabe casándome es un poco descabellada. Incluso tratándose de Grandmère, quiero decir—. Nos hiciste bailar juntos…

—Para la fotografía de una revista. —Grandmère inhaló por la nariz.

—…Y Michael no te gusta…

—Nunca he dicho que no me guste. Por lo que sé de él, me parece un chico perfectamente encantador. Solo quiero que seas realista con respecto al hecho de que tú, Amelia, no eres como las demás chicas. Eres una princesa y tienes que pensar en el bien de tu país.

—…Y luego René presentándose aquí, y tú anunciándome que va a llevarme al baile Blanco y Negro…

.–¿Tiene algo de malo que quiera que el pobre muchacho se lo pase bien durante su estancia aquí? Ha sufrido muchas penalidades, como la pérdida de su hogar ancestral, por no hablar de su propio reino…

–Grandmère –le rebatí–, René ni siquiera había nacido cuando desterraron a su familia…

–Razón de más –me atajó Grandmère– para que te sensibilices con su calvario.

Genial. ¿Qué se supone que tengo que hacer ahora? Con Michael, quiero decir. No puedo llevarlos a los dos, a él y al príncipe René, al baile. Ya parezco lo bastante rara con mi pelo a medio crecer y mi androginia –aunque, a juzgar por la descripción que ha hecho de ella Grandmère, la condesa debe de parecer incluso más rara que yo–, como para encima presentarme con dos acompañantes y un guardaespaldas.

Ojalá fuera la princesa Leia y no yo, la princesa Mia. Preferiría enfrentarme a la Estrella de la Muerte que al baile Blanco y Negro.

Miércoles, 21 de enero, en el apartamento

Bueno, el intento por parte de mi madre de convencer a mi padre de lo del baile de la condesa ha sido un desastre total. Por lo visto, el debate del parquímetro se ha descontrolado del todo. El ministro de Turismo está desplegando él solo un discurso obstruccionista en respuesta al del ministro de Economía, y no puede haber una votación hasta que deje de hablar y se siente. De momento, lleva hablando doce horas y cuarenta y ocho minutos. No sé por qué mi padre no hace que le arresten y le encierren en una mazmorra.

Realmente me empieza a preocupar que no vaya a ser capaz de salir airosa del asunto este del baile.

—Será mejor que se lo digas ya a Michael. —Mi madre asomó la cabeza hace un rato para decirme esto amablemente—. Dile ya que no podrás salir con él el viernes. ¡Eh! ¿Ya estás escribiendo otra vez en el diario? ¿No deberías estar haciendo los deberes?

Intentando desviarme del tema de los deberes —qué injusto, ¡pero si los estoy haciendo...! Solo me he tomado un descansillo—, le contesté:

—Mamá, no pienso decirle nada a Michael hasta que tengamos noticias de papá. Porque no tiene sentido que me arriesgue a que Michael rompa conmigo si papá va a acabar diciéndome que no tengo que ir al estúpido baile.

—Mia —dijo mi madre—, Michael no va a romper contigo solo porque tengas un compromiso familiar que no puedes eludir.

—Yo no estaría tan segura —respondí apesadumbrada—. Dave Farouq El-Abar ha roto hoy con Tina porque ella no le devolvió una llamada.

—Es diferente –puntualizó mi madre–. No devolver una llamada es sencillamente de mala educación.

—Pero, mamá –insistí. Empezaba a cansarme de tener que explicarle esto a mi madre a todas horas. Me parece increíble que alguna vez haya tenido algún novio, por no hablar de dos, cuando es evidente que sabe muy poco del arte de las citas–. Si estás demasiado disponible, el chico podría creer que la caza ha perdido toda la emoción.

Mi madre parecía desconfiada.

—No me lo digas. Deja que lo adivine. ¿Te lo ha dicho tu abuela?

—Hum…, sí –confirmé.

—Vale, pues ahora voy a contarte un truco que mi madre me enseñó a mí una vez –dijo mamá. Estaba sorprendida: mi madre no se lleva demasiado bien con sus padres, por lo que es muy raro que mencione a alguno de los dos, y menos aún para explicar un consejo suyo lo bastante valioso para transmitírselo a su hija–: Si crees que existe la posibilidad de que tengas que anular tu cita con Michael –dijo–, es preferible que recurras ya a la terapia del gato en el tejado.

Como es lógico, me quedé catatónica.

—¿La terapia del qué?

—Del gato en el tejado –repitió mi madre–. Tienes que empezar a prepararle mentalmente para la decepción. Por ejemplo, si a Fat Louie le hubiese pasado algo mientras tú estabas en Genovia… –Se me debió de descolgar la mandíbula, ya que mi madre se apresuró a puntualizar–: No, no te preocupes, no le pasó nada. Solo digo que si le hubiese pasado algo, no te lo habría soltado sin más por teléfono. Te habría preparado poco a poco para el susto final. No sé, podría haberte dicho: «Mia, Fat Louie se escapó por tu ventana; ahora está en el tejado y no podemos bajarle».

–¡Pues claro que podríais haberle bajado! –protesté–. Podríais haber subido por la escalera de incendios con una funda de almohada y acercaros a él, y entonces tirarle encima la funda y barrerle hacia vosotros y bajarle.

–Sí –convino mi madre–, pero supongamos que te dijera que lo intentaría, y que al día siguiente te llamara para decirte que no había funcionado y que Fat Louie se había escapado al tejado de al lado…

–Te diría que fueses al edificio de al lado y que pidieras a alguien que te dejara entrar para después subir al tejado. –No entendía adónde iba a parar todo aquello–. Mamá, ¿cómo ibas a ser tan irresponsable de dejar que Fat Louie escapara por la ventana? Te lo he dicho infinidad de veces: tienes que tener siempre cerrada la ventana de mi habitación, ya sabes cuánto le gusta mirar las palomas. Louie no tiene ninguna capacidad de supervivencia…

–Por lo que –concluyó mi madre– no tendrías esperanzas de que sobreviviera más de dos noches a la intemperie.

–No –casi grité–. No las tendría.

–Exacto. ¿Lo ves? Estarías mentalmente preparada cuando te llamara al tercer día para decirte que, pese a todo lo que hemos hecho, Louie ha muerto.

–¡¡¡OH, DIOS MÍO!!! –Cogí a Fat Louie, que descansaba a mi lado en la cama–. ¿Y crees que debería hacerle eso al pobre Michael? ¡Él tiene un perro, no un gato! ¡Pavlov nunca conseguiría subir al tejado!

–No –dijo mi madre, que parecía algo cansada. Claro, no podía ser de otra manera: su esencia vital está siendo devorada lentamente por el feto insaciable que crece en su interior–. Estoy diciendo que deberías empezar a preparar mentalmente a Michael para la decepción que va a llevarse si al final tienes que cancelar la cita del viernes. Llámale y dile que es probable que no puedas salir con él. Eso es todo. El gato en el tejado.

Solté a Fat Louie. No solo porque al final comprendí adónde pretendía llegar mi madre, sino también porque intentaba morderme para que aflojara un poco mi abrazo, que supongo que empezaba a asfixiarle.

—Oh —dije—. ¿Crees que si hago eso, si empiezo a prepararle mentalmente para la posibilidad de que no pueda salir con él el viernes, no me dejará en cuanto me presente con la verdadera noticia?

—Mia —insistió mi madre—. Ningún chico va a dejarte porque tengas que cancelar una cita. Y si alguno lo hace, entonces es que no merecía que salieras con él. Un poco como el Dave de Tina, me atrevería a decir. Es probable que ella esté mejor sin él. Y ahora, haz los deberes.

Sí, claro. ¿Cómo puede esperar alguien que haga los deberes después de recibir semejante información?

Decidí conectarme a internet. Quería escribir un mensaje instantáneo a Michael, pero antes de poder hacerlo me sorprendió uno de Tina.

ILUVROMANCE: HOLA, MIA. ¿QUÉ HACES?

¡Parecía tan triste! ¡Incluso había elegido el dolor azul para la letra?

FTLOUIE: ESTOY HACIENDO LOS DEBERES DE BÍO. ¿CÓMO ESTÁS?

ILUVROMANCE: BIEN, SUPONGO. ES SOLO QUE... ¡¡¡¡¡¡¡¡¡¡ILE ECHO TANTO DE MENOS!!!!!!!!!!!! OJALÁ NUNCA HUBIERA OÍDO HABLAR DE JANE EYRE.

Recordando lo que había dicho mi madre, le escribí:

FtLouie: Tina, si Dave está dispuesto a romper contigo solo porque no le devolviste la llamada, entonces es que no te merece. Encontrarás a otro chico, alguien que te valore de verdad.

IluvRomance: ¿De verdad lo crees?

FtLouie: ¡Pues claro!

IluvRomance: Pero ¿cómo voy a encontrar en el I. A. E. a un chico que me valore? Todos los que estudian con nosotras son unos tarados. Excepto M. M., por supuesto.

FtLouie: No te preocupes, encontraremos a alguien para ti. Ahora tengo que escribir a mi padre.

No quería decirle que la persona a quien en realidad tenía que escribir era a Michael. No quería restregarle que yo tenía novio y ella no. Además, esperaba que no recordara que en Genovia, donde estaba mi padre, eran las cuatro de la madrugada. Ni que el Palais de Genovia no es precisamente el último grito, tecnológicamente hablando.

FtLouie: Bueno, adiós.

IluvRomance: Adiós. Si te apetece chatear luego, estaré aquí. No tengo ningún sitio adonde ir.

¡Pobrecita, mi dulce Tina! Está triste y abatida. La verdad es que, pensándolo bien, está mejor sin Dave. Si él quería dejarla por esa tal Jasmine, podría habérselo ido dejando caer con la técnica del gato en el tejado. Si tuviera algo de caballero, lo habría hecho. Pero está clarísimo que Dave no tiene nada de caballero.

Me alegro de que mi novio sea diferente. O, al menos, espero que lo sea. No, espera... Por supuesto que lo es. Es MICHAEL.

FtLouie: ¡Hola!

LinuxRulz: ¡Eh! ¿Dónde has estado?

FtLouie: Lección de princesa.

LinuxRulz: ¿Todavía no sabes todo lo que hay que saber para ser princesa?

FtLouie: Por lo visto, no. Grandmère sigue diciendo que necesito una puesta a punto. Oye... ¿por casualidad hay algún otro pase de *La guerra de las galaxias* después del de las siete?

LinuxRulz: Sí, hay otro a las once. ¿Por qué?

FtLouie: Oh, por nada.

LinuxRulz: ¿POR QUÉ?

Vale, este fue el punto en el que no pude hacerlo. Quizá por las mayúsculas o quizá porque aún tenía demasiado fresca en la cabeza la conversación con Tina. La tristeza tremenda que transmitía su invitación a chatear había sido demasiado para mí. Sé que debería haberme lanzado y haberle hablado del asunto del baile en ese preciso instante, pero no fui capaz. Solo podía pensar en lo increíblemente inteligente y talentoso que es Michael, y el bicho raro patético y sin talento que soy yo, y lo fácil que sería para él encontrar en cualquier parte a alguien más digno de sus atenciones.

De modo que, en lugar de eso, escribí:

FtLouie: He estado pensando en nombres para tu banda.

LinuxRulz: ¿Qué tiene que ver eso con si hay o no más pases de *La guerra de las galaxias* el viernes?

FtLouie: Bueno, supongo que nada. Pero ¿qué te parece Michael y los Wookiees?

LinuxRulz: Me parece que ya has vuelto a jugar con el ratón de nébeda de Fat Louie.

FtLouie: Ja, ja, ja. Vale, ¿y qué tal Los Ewoks?

LinuxRulz: ¿Los EWOKS? ¿Adónde te ha llevado hoy tu abuela cuando te secuestró en el instituto? ¿A una sesión de terapia con electroshocks?

FtLouie: Solo intento ayudar.

LinuxRulz: Lo sé, perdona. Es solo que me parece que a los chicos no les gustaría que se los equiparara con muñequitos peludos del planeta Endor. Quiero

164

DECIR QUE AUNQUE UNO DE ELLOS SEA BORIS, NI SIQUIERA ÉL LO ADMITIRÍA.

FTLOUIE: ¿¿¿¿¿¿BORIS PELKOWSKI ESTÁ EN TU BANDA??????

LINUXRULZ: SÍ. ¿POR QUÉ?

FTLOUIE: POR NADA.

Solo puedo decir que si yo tuviera una banda, no dejaría que Boris participara en ella. Sí, sé que es un músico con talento y eso, pero también es un respirador por la boca. Creo que es fantástico que él y Lilly se lleven tan bien y, durante intervalos de tiempo breves, puedo soportarle e incluso divertirme con él. Pero yo no le dejaría estar en mi banda. No, a menos que dejara de meterse los jerséis por el pantalón.

LINUXRULZ: BORIS NO ESTÁ TAN MAL CUANDO LE CONOCES.

FTLOUIE: LO SÉ, PERO ME PARECE QUE NO PEGA EN UNA BANDA, CON TANTO BARTOK A TODAS HORAS...

LINUXRULZ: TOCA DE MARAVILLA EL BLUEGRASS. AUNQUE NO CREO QUE VAYA A SER ESE EL ESTILO DEL GRUPO.

Es un consuelo saberlo.

LINUXRULZ: ENTONCES, ¿TE LIBERARÁ TU ABUELA A TIEMPO?

No tenía ni idea de qué hablaba.

FTLOUIE: ¿¿¿QUÉ???

Aquí fue donde la fastidié. Como ves, me lo había puesto en bandeja. Yo podría haber contestado: «Sí, me preocupa eso», y entonces es muy probable que él hubiese dicho: «Vale, bueno, dejémoslo para otro día, pues».

PERO ¿¿¿Y SI NO HUBIERA OTRO DÍA???

¿¿¿Y si Michael, como Dave, se me quitara de encima y encontrara a otra chica a quien llevar al cine???

Así que, en lugar de eso, le escribí:

FtLouie: No, no, ningún problema. Creo que podré salir a tiempo.

¿¿¿POR QUÉ SOY TAN IDIOTA??? ¿¿¿POR QUÉ ESCRIBÍ ESO??? ¡¡¡Porque ESTÁ CLARO que no saldré a tiempo, que estaré TODA LA NOCHE en el estúpido baile Blanco y Negro!!!

Lo juro: soy tan idiota que ni siquiera merezco tener novio.

Jueves, 22 de enero, en el aula

Esta mañana, durante el desayuno, el señor G. preguntó: «¿Alguien ha visto mis pantalones de pana marrones?», y mi madre, que había programado la alarma del despertador a una hora temprana para intentar encontrar a mi padre en el descanso entre sesión y sesión del Parlamento (sin suerte), respondió: «No, pero ¿alguien ha visto mi camiseta de "Liberad a Winona"?».

Y entonces yo solté: «Vale, pues yo aún no he encontrado mi ropa interior de la reina Amidala».

Y fue entonces cuando caí en la cuenta: alguien nos había robado la colada.

Es la única explicación lógica. Quiero decir que siempre enviamos la ropa a la lavandería y ellos la lavan y nos la devuelven planchada y demás. Desde que no tenemos portero, la bolsa suele quedarse en el vestíbulo hasta que uno de nosotros la recoge y la arrastra tres tramos de escalera hasta el apartamento.

¡Pero parece que nadie ha visto la bolsa de ropa que enviamos a lavar el día antes de que yo me fuera a Genovia! (Supongo que soy la única en la familia que presta atención a cosas como las coladas, sin duda porque soy la que no tiene talento ni, por tanto, nada más profundo en qué pensar que la ropa interior limpia.)

Lo cual solo puede significar que uno de esos periodistas raritos —que suelen husmear en la basura que tiramos, para gran disgusto del señor Molina, el encargado de mantenimiento del edificio— encontró nuestra bolsa de ropa limpia y ahora ya podemos prepararnos para leer de un momento a otro una primicia explosiva en la portada del *Post*: «FUERA DEL ARMARIO: LO QUE SE PONE LA PRINCESA

MIA Y LO QUE SIGNIFICA, SEGÚN NUESTROS EX-
PERTOS».

¡¡¡Y ENTONCES TODO EL MUNDO SABRÁ QUE
ME PONGO MEDIAS DE LA REINA AMIDALA!!!

Qué rabia, porque no puede decirse que yo vaya por ahí
publicitando que tengo ropa interior de *La guerra de las galaxias*, o que tengo unas medias de la suerte y eso. Y, por derecho propio, debería haberme llevado la ropa interior de la reina Amidala a Genovia, para tener suerte en mi presentación al
pueblo en Nochebuena. Si me la hubiera puesto, seguro que
no me habría ido por las ramas con el tema del parquímetro.

En fin, había estado demasiado absorbida por lo de Michael y lo había olvidado por completo.

Y ahora parece que alguien se ha apropiado de mi ropa
interior de la suerte, ¡y seguro que en cuestión de horas la
colgará en eBay! ¡En serio! ¿Quién sabe si unas medias mías
podrían venderse como churros? Sobre todo si son de la reina Amidala.

Estoy muerta. Del todo.

Mamá ya ha llamado a la comisaría para denunciar el robo,
pero esos tipos están demasiado ocupados siguiendo la pista de
criminales de verdad para ponerse a seguir a alguien que afana
ropa. Solo les faltó echarse a reír al otro lado del teléfono.

Para ella y para el señor G. no es tan importante: solo per-
dieron prendas corrientes. Soy la única que ha perdido ropa
interior. Peor: mi ropa interior de la suerte. Entiendo bien
que los hombres y las mujeres que combaten el crimen en
esta ciudad tengan cosas más importantes que hacer que buscar mi ropa interior.

Pero, tal y como están yendo las cosas, realmente, REAL-
MENTE, necesito toda la suerte que pueda conseguir.

Jueves, 22 de enero, clase de Álgebra

COSAS QUE HACER

1. Pedirle al embajador de Genovia en las Naciones Unidas que avise a la CIA. Ver si pueden asignarme varios agentes que le sigan la pista a mi ropa interior (si cayera en malas manos, ¡se produciría un incidente internacional!).
2. ¡¡¡Comprar comida para gatos!!!
3. Comprobar la ingesta de ácido fólico de mamá.
4. Decirle a Michael que no podré acudir a nuestra primera cita.
5. Prepararme para que me abandone.

Def.: la raíz cuadrada de un cuadrado perfecto es cualquiera de sus factores idénticos.

Def.: la raíz cuadrada positiva se denomina Principio de la Raíz Cuadrada.

Los números negativos no tienen raíz cuadrada.

Jueves, 22 de enero, clase de salud y seguridad

¿Has visto eso? ¡Se van juntos a almorzar al Cosi!

Sí. Así que él la ama…

Es tan bonito que dos profesores estén enamorados…

¿Estás nerviosa por la reunión de mañana?

No mucho. Son ELLOS quienes deberían estar nerviosos.

¿Vas a ir sola? ¿No te acompañarán tus padres?

Por favor. Puedo apañarme sola con un puñado de ejecutivos cinematográficos, gracias. ¿Cómo es posible que sigan haciéndonos tragar la misma bazofia infantil año tras año? ¿Es que no piensan que ya sabemos que el tabaco mata? Eh, ¿conseguiste acabar todos los deberes o te has pasado la noche chateando con mi hermano?

Las dos cosas.

Sois tan monos que me entran ganas de vomitar. Sois casi tan monos como el señor Wheeton y mademoiselle Klein.

Cállate.

¡Por Dios! Esto es aburridísimo. ¿Quieres que hagamos otra lista?

Vale. Empiezas tú.

GUÍA DE LILLY MOSCOVITZ
SOBRE LO QUE MOLA Y NO MOLA DE LA TELEVISIÓN
(con comentarios de Mia Thermopolis)

Séptimo Cielo

Lilly: Una visión compleja de los esfuerzos de una familia para mantener las convenciones cristianas en una sociedad moderna y en constante evolución. Bastante bien interpretada y en ocasiones conmovedora, esta serie puede volverse algo «moralista», pero refleja los problemas que afrontan familias normales con sorprendente realismo, y solo muy de vez en cuando cae en lo banal.

Mia: Aunque el padre es pastor de la Iglesia y todos tienen que aprender una lección al final de cada episodio, es una serie bastante buena. Lo mejor: cuando las gemelas Olsen hacen de protagonistas. Lo peor: cuando el experto en cosmética le alisa el pelo a la más pequeña.

Popstars

Lilly: Un intento ridículo de hacer un sueño (ridículo) realidad. Somete a sus jóvenes estrellas a una «audición» por parte del público, y después enfoca primeros planos de los perdedores llorando y de los ganadores deleitándose.

Mia: Cogen a un puñado de chicos atractivos que saben cantar y bailar y los someten a una audición para formar parte de un grupo musical, y algunos de ellos lo consiguen y otros no, y quienes lo consiguen se vuelven famosos al instante y se emocionan muchísimo, y todo ello ataviados con modelos interesantes que suelen dejar el ombligo al aire. ¿Cómo va a ser malo este programa?

Sabrina, la bruja adolescente

Lilly: Aunque está basada en personajes de cómic, esta serie es sorprendentemente afable y a veces incluso divertida. Sin embargo, es una lástima que no describa las prácticas wicca reales. Podría beneficiarse investigando un poco en esta religión ancestral que, a lo largo de los siglos, ha otorgado poderes a miles de mujeres. El gato parlanchín es un poco sospechoso: no he leído ningún documento verosímil que respalde la posibilidad de una transfiguración.

Mia: Absolutamente asombroso durante los años de instituto. Adiós instituto = adiós serie.

Los vigilantes de la playa

Lilly: Basura pueril.

Mia: La serie más fantástica de la historia. Todos son guapos, es posible seguir la trama incluso chateando al mismo tiempo, y salen muchas escenas de playa, algo que se agradece cuando estás en pleno febrero y en el oscuro y lúgubre Manhattan. El mejor episodio: cuando a Pamela Anderson la secuestra ese engendro mitad hombre mitad bestia, que después de someterse a una intervención de cirugía estética llega a ser profesor en la Universidad de California. El peor episodio: cuando Mitch adopta un hijo.

Las Supernenas

Lilly: El mejor programa de televisión.

Mia: Ídem. Sobran las palabras.

La bola de cristal

Lilly: Ahora, por desgracia, cancelado, este programa ofrecía una perspectiva intrigante de la posibilidad de que los alienígenas habiten entre nosotros. El hecho de que puedan ser adolescentes, y además extremadamente atractivos, aumenta en cierto modo la credibilidad del programa.

Mia: Tipos guapos con poderes alienígenas. ¿Qué más se puede pedir? Lo mejor: Max Evans. Lo peor: cuando apareció la apestosa Liz, y cuando dejaron de emitirla.

Buffy Cazavampiros

Lilly: Alegato feminista en su máxima esencia, entretenimiento excelente. La heroína es una máquina de matar vampiros mala y astuta, que se preocupa tanto por su alma inmortal como por su pelo. Sólido modelo de género para mujeres jóvenes; en realidad, todo el mundo, sea cual sea su sexo y su edad, se beneficiará viendo esta se-

rie. *Toda la televisión debería ser así de buena. El hecho de que los Emmy la obviaran durante tanto tiempo es una injusticia.*

Mia: Ojalá Buffy encontrara a un chico que no necesitase beber plaquetas para vivir. Lo mejor: siempre que salen besos. Lo peor: nada.

Las chicas Gilmore

Lilly: Retrato profundo de una madre soltera que lucha por sacar adelante a una hija adolescente en una pequeña ciudad del noreste.

Mia: Muchos, muchos, muchos, muchos, muchos, muchos chicos guapos. Además, es bonito ver cómo las madres solteras que duermen con profesores de sus hijas reciben apoyo, en lugar de sermones, por parte de la sociedad.

Embrujadas

Lilly: Mientras que esta serie retrata con cierta precisión ALGUNAS prácticas wicca típicas, los hechizos que estas chicas hacen de forma rutinaria no son nada realistas. Es imposible, por ejemplo, viajar en el tiempo o entre dimensiones sin provocar fisuras en el continuo espacio-tiempo. Si estas chicas realmente se teletransportaran a la América puritana del siglo XVII, llegarían con el esófago fuera de la boca y no dentro del corsé, ya que nadie puede viajar a través de un agujero de gusano y conservar su masa íntegra. Es una simple cuestión de física. Albert Einstein debe de estar revolviéndose en su tumba.

Mia: ¿Eh? ¿Brujas vestidas a la última? Como Sabrina, aunque mejor, porque los chicos son más guapos, y a veces corren peligro y las chicas tienen que salvarlos.

Tina está enfadadísima con Charlotte Brontë. Dice que *Jane Eyre* le ha destrozado la vida.

Así lo ha confesado durante el almuerzo. Justo delante de Michael, que se supone que no debe saber nada de la técnica de Jane Eyre ni de la no persecución de chicos, pero en fin. Él admitió que no había leído el libro, así que estoy casi segura de que no tenía idea de qué estaba hablando Tina.

Aun así, fue muy triste. Tina dijo que va a dejar de leer novelas románticas. ¡Y que va a hacerlo porque ellas son la causa de que su relación con Dave se haya ido al traste!

Todos nos quedamos muy apesadumbrados al oír esto. A Tina le encanta leer novelas románticas. Lee aproximadamente una al día.

Pero ahora dice que de no haber sido por esas novelas, sería ella, y no Jasmine, quien fuera a ir con Dave Farouq El-Abar a ver a los Rangers el sábado.

Mi observación de que a ella ni siquiera le gusta el hockey no pareció de gran ayuda.

Lilly y yo comprendimos de inmediato que era un momento esencial en el crecimiento de Tina. Era preciso recordarle que había sido Dave, y no Jane Eyre, quien había puesto fin a su relación… Y que, visto con objetividad, todo cuanto había ocurrido era para mejor. Era absurdo que Tina culpara de su calvario a las novelas románticas.

De modo que Lilly y yo confeccionamos rápidamente la siguiente lista y se la pasamos a Tina, con la esperanza de que ella misma constatara el error de su actitud:

LISTA DE MIA Y LILLY
DE LAS HEROÍNAS ROMÁNTICAS
Y LAS VALIOSAS LECCIONES QUE NOS HAN APORTADO

1. Jane Eyre, de *Jane Eyre*: sé fiel a tus convicciones y prosperarás.
2. Lorna Doone, de *Lorna Doone*: es probable que pertenezcas a la realeza y seas heredera a un trono, aunque aún no lo sepas porque nadie te lo ha dicho (también válido para Mia Thermopolis).
3. Elizabeth Bennet, de *Orgullo y prejuicio*: a los chicos les gusta que seas un poco listilla.
4. Scarlett O'Hara, de *Lo que el viento se llevó*: ídem.
5. Marian, de *Robin Hood*: es buena idea aprender a usar el arco y las flechas.
6. Jo March, de *Mujercitas*: guarda siempre a mano una copia de seguridad de tu manuscrito por si tu vengativa hermana pequeña arroja el original al fuego.
7. Anne Shirley, de *Ana de las Tejas Verdes*: solo cuatro palabras: tinte para el pelo.
8. Marguerite St. Just, de *La Pimpinela escarlata*: inspecciona bien los anillos de tu esposo antes de casarte con él.
9. Catherine, de *Cumbres borrascosas*: procura que los pantalones de montar no acaben quedándote demasiado pequeños, o tú también tendrás que vagar por el páramo cuando mueras.
10. Tess, de *Tess, de Uberville*: ídem.

Después de leer la lista, Tina admitió entre lágrimas que teníamos razón, que las heroínas de la literatura realmente eran sus amigas, y que no podía abandonarlas. Todos volvimos a respirar aliviados (excepto Michael y Boris, que jugaban con la Game Boy de Michael) cuando Shameeka hizo un anuncio repentino, incluso más asombroso que el de Tina:

—Me presento a las pruebas de selección de las animadoras.

Nos quedamos, por supuesto, estupefactas. No porque Shameeka fuera a ser una pésima animadora, no; de hecho, es la más atlética de todas, además de la más atractiva, y sabe casi tanto como Tina de moda y maquillaje.

Era solo que, según lo verbalizó Lilly:

—¿Por qué ibas a querer hacer algo así?

—Porque —explicó Shameeka— estoy cansada de que Lana y sus amiguitas se pasen el día dándome órdenes. Soy tan buena como cualquiera de ellas. ¿Por qué no iba a optar al equipo, aunque no forme parte de su camarilla? Tengo las mismas probabilidades que todo el mundo de conseguir el puesto.

Lilly contestó:

—Vale, es una verdad incuestionable, pero creo que debo advertirte: Shameeka, si te presentas a las pruebas, estarás formando ya parte de su camarilla. ¿Estás preparada para someterte a la humillación de animar y vitorear a Josh Richter mientras persigue una pelota?

—Durante muchos años, las animadoras han cargado con el estigma del sexismo —repuso Shameeka—, pero yo creo que la comunidad de las animadoras en general está dando grandes pasos para fomentar este deporte y llegar a consolidarlo como práctica tanto femenina como masculina. Es bueno mantenerse activo y en forma. Además, combina dos cosas que me encantan: el baile y la gimnasia, y será un punto a mi favor cuando solicite universidad. Ese es el único motivo por el que mi padre me deja participar en las pruebas. Eso, y el hecho de que George W. Bush haya sido animador. Y que no se me permitirá asistir a las fiestas que se celebren después de los partidos.

No dudé de esto último. El señor Taylor, padre de Shameeka, es muy estricto.

Pero del resto no estaba tan segura. Además, su discurso sonaba un poco planeado y, bueno, a la defensiva.

—¿Significa eso que si entras en su camarilla —quise saber yo— dejarás de almorzar con nosotras y te sentarás con ellas?

Señalé hacia la mesa larga que había en el otro extremo de la cafetería, a la que estaban sentados Lana y Josh y sus frívolos, arrogantes e increíblemente repeinados compinches. La idea de perder a Shameeka —que siempre ha sido muy elegante y al mismo tiempo muy sensible— en el Lado Oscuro me hería el corazón.

—Pues claro que no —respondió Shameeka con aire desdeñoso—. Entrar en la pandilla de animadoras del Instituto Albert Einstein no va a cambiar ni un ápice mis amistades. Seguiré haciendo de cámara para tu programa de televisión. —Asintió en dirección a Lilly—. Y siendo tu compañera en Bío. —A mí—. Y tu asesora en barras de labios. —A Tina—. Y tu modelo. —A Ling Su—. Si entro en el equipo, es posible que no esté disponible a todas horas, pero eso será todo.

Guardamos silencio meditando el gran cambio que eso podría suponernos a todos. Que Shameeka entrara en el equipo de animadoras sería un buen revés para todas las cretinas del mundo. Pero también nos robaría a Shameeka, que se vería obligada a dedicar todo su tiempo libre a practicar el spagat y a coger el autobús a Westchester para asistir a los partidos.

Pero había una consecuencia aún más importante: que Shameeka entrara en el equipo de animadoras significaría que se le da bien algo, MUY MUY bien algo, y no solo un poco bien todo, cosa que ya sabemos. Si Shameeka resultara estar MUY MUY dotada para algo, entonces yo sería la ÚNICA de la mesa del almuerzo sin un talento reconocible.

Y juro que no es solo por esto por lo que confiaba con todas mis fuerzas en que Shameeka no consiguiera entrar en el equipo. Quiero decir que sí, quería que lo consiguiera, si eso era lo que ella realmente deseaba.

Pero… pero… ¡¡¡NO QUIERO ser la única que no tiene ningún talento!!! ¡¡¡NO QUIERO!!! ¡¡¡¡¡¡NO QUIERO!!!!!!

El silencio en la mesa era casi palpable…, bueno, salvo por el pinpinpin del juego electrónico de Michael. Los chicos —al parecer incluso los chicos perfectos como Michael— son inmunes a cosas como el estado de ánimo.

Pero ya puedo afirmar que el estado de ánimo en lo que va de año está siendo bastante malo. De hecho, si las cosas no empiezan a mejorar pronto, voy a acabar este curso por los suelos.

Sigo sin tener la menor pista de cuál puede ser mi talento. Si de algo estoy segura es de que no es la psicología. ¡Ha sido muy difícil disuadir a Tina de abandonar las novelas románticas! Y no conseguimos convencer a Shameeka de que no se presente a las pruebas de animadora. Supongo que ya veo por qué quiere hacerlo. Me refiero a que podría divertirse bastante.

Aunque, la verdad, no consigo entender que alguien esté dispuesto a pasar por voluntad propia tanto tiempo con Lana Weinberger.

Jueves, 22 de enero, clase de Francés

Mademoiselle Klein no está nada contenta con Tina y conmigo por haber hecho novillos ayer.

Por supuesto, le dijimos que no habíamos hecho novillos, sino que habíamos tenido una emergencia médica que precisó de una visita al Ho's para comprar Tampax, pero no estoy segura de que mademoiselle Klein me creyera. Sería de esperar que mostrara un poco de solidaridad femenina con el suplicio mensual, pero no lo hizo. Al menos no justificó nuestra ausencia. Nos entregó una advertencia y nos ha encargado una redacción de quinientas palabras (en francés, claro) sobre la Línea Maginot.

Pero no es eso de lo que yo quiero escribir. De lo que yo quiero escribir es de lo siguiente:

¡¡¡¡¡¡MI PADRE ES FANTÁSTICO!!!!!!

¡¡¡Me ha liberado del baile Blanco y Negro!!!

Lo que pasó —al menos según el señor G., que se me acercó en el pasillo y me puso al corriente— fue que el discurso obstruccionista sobre el parquímetro finalmente concluyó (después de treinta y seis horas) y que gracias a eso mi madre consiguió contactar con mi padre. (Ganaron los partidarios del parquímetro; es una victoria tanto mía como del medio ambiente, aunque no me siento del todo recompensada, debido a la mofa post-discurso-de-presentación-a-mi-pueblo por parte de Grandmère, ya que quien realmente gana en todo esto son las infraestructuras de Genovia.)

En fin. Mi padre dijo que no tenía que asistir al baile de la condesa. Y no solo eso, sino también que nunca había oído nada tan ridículo en su vida, que la única enemistad que existe entre nuestra familia y la familia real de Mónaco es Grandmère. Por lo visto, ella y la condesa han rivalizado desde que acabaron los estudios primarios y Grandmère solo quería alardear de una nieta de la que ya se han escrito libros y filmado películas. Al parecer, la única nieta de la condesa también asistirá al baile, pero nunca se ha hecho ninguna película sobre su vida y de hecho es una especie de cero a la izquierda a quien seguramente expulsaron de la escuela por ser incapaz de aprender a esquiar o algo así.

¡¡¡Así que estoy libre!!! ¡Libre para disfrutar mañana de mi único amor! ¡He puesto el gato en el tejado con Michael para nada! Todo irá bien ahora, pese a no tener mi ropa interior de la suerte. Lo presiento...

Estoy tan contenta que incluso me apetece escribir un poema. Este lo compondré a espaldas de Tina, porque es impropio regodearse de la suerte propia cuando la de otra persona es tan nefasta. (Tina ya ha averiguado quién es Jasmine: una chica que estudia en el Trinity, con Dave; su padre también es un jeque petrolífero; Jasmine lleva en los dientes *brackets* de aguamarina y su *nickname* es IluvJustin2345.)

DEBERES

Álgebra: problemas del final del cap. 11.

Lengua: describe en el diario las sensaciones que te ha transmitido la lectura del poema *El cebo*, de John Donne.

Bío: no lo sé, me los hace Shameeka.

Salud y Seguridad: cap. 2: «Riesgos medioambientales y tú».

G y T: descubrir talento oculto.

Francés: *chapitre onze, écrivez une narratif,* 300 palabras, a doble espacio, 500 pal. + sobre caracoles.

Civ. del Mundo: 500 palabras: «Describe los orígenes del conflicto armenio».

Poema para Michael

Oh, Michael,
muy pronto, si de verdad lo queremos,
frente al Gran Moff Tarkin estaremos,
disfrutando de verduritas y de chips
a la salud de R2-D2 y de sus bips.
Quizá incluso de la mano nos cogeremos
y las arenas de Tatooine contemplaremos
sabiendo que nuestro amor es más potente
que las armas de la Estrella de la Muerte.
Y aunque nuestro planeta destruyan
y crean que se salen con la suya
matando a hombres, mujeres y niños,
no podrán destruir nuestro cariño…
Como propulsado con un hiperimpulsor
seguirá prosperando nuestro amor.

Jueves, 22 de enero, en la limusina camino de casa después de ver a Grandmère

Solo las grandes personas admiten que se equivocan. Fue Grandmère quien me enseñó esto.

Y, si es verdad, entonces mi grandeza debe de sobrepasar mi metro ochenta. Porque me equivoqué. Me equivoqué con Grandmère. He estado equivocada todo este tiempo, pensando que era inhumana y que quizá una nave nodriza alienígena la había dejado en este planeta para observar la vida terrícola y después informar a sus superiores. Sí, resulta que Grandmère es muy humana, como yo.

¿Cómo lo he descubierto? ¿Cómo he descubierto que la princesa viuda de Genovia, después de todo, no le vendió el alma al Príncipe de las Tinieblas, como muy a menudo he sospechado?

Pues lo he sabido hoy, al entrar en la suite de Grandmère en el Plaza, preparada para batallar con ella por el asunto de la condesa Trevanni. Estaba dispuesta a soltarle de inmediato: «Grandmère, papá dice que no tengo que ir y, como imaginarás, no pienso ir».

Sin embargo, en cuanto entré y la vi, se me ahogaron las palabras en la garganta. ¡Porque daba la impresión de que a Grandmère acabara de atropellarla un camión! En serio. Estaba sentada a oscuras —había cubierto las lámparas con pañuelos de color violeta porque decía que la luz le lastimaba los ojos— y ni siquiera iba vestida con propiedad. Llevaba un salto de cama de terciopelo y zapatillas, y se cubría el regazo con una manta de cachemira; eso era todo. Tenía rulos por toda la cabeza y, de no haber tenido los párpados tatuados, estoy segura de que se le habría corrido el maquillaje. Ni siquiera tomaba un Sidecar, su refresco favorito, ni ninguna otra cosa.

Tan solo estaba sentada, con Rommel temblando sobre sus rodillas, como un alma en pena. Grandmère, no el perro.

—¡Grandmère! —No pude evitar gritar al verla—. ¿Estás bien? ¿Te encuentras mal o algo?

Pero lo único que Grandmère contestó, en una voz tan exenta de su habitual estridencia que apenas podía creer que fuese ella quien hablaba, fue:

—No, estoy bien. Bueno, lo estaré cuando consiga superar la humillación.

—¿Humillación? ¿Qué humillación? —Me arrodillé junto a su silla—. Grandmère, ¿estás segura de que te encuentras bien? ¡Ni siquiera fumas!

—No te preocupes —dijo, con un hilo de voz—. Pasarán semanas antes de que consiga volver a reunir suficiente valor para reaparecer en público. Pero soy una Renaldo. Soy fuerte. Me repondré.

En realidad, Grandmère solo es una Renaldo por matrimonio, pero no iba a discutir con ella al respecto, porque estaba segura de que algo iba mal, muy mal, como si se le hubiese desprendido el útero en la ducha y se hubiese colado por el sumidero o algo así (esto le pasó a una mujer en la comunidad de apartamentos de Boca donde vive la abuela de Michael y Lilly; también les pasa a un montón de vacas en la película *Todas las criaturas grandes y pequeñas*).

—Grandmère —insistí, mirando alrededor por si su útero seguía tirado en el suelo o algo así—. ¿Quieres que avise al médico?

—Ningún médico puede curar mi mal —me aseguró Grandmère—. Solo sufro la pena y el calvario de tener una nieta que no me quiere.

No tenía ni idea de a qué se refería. Sí, es verdad que a veces Grandmère no me gusta nada, pero no es que no la quiera. Supongo. Al menos nunca he dicho eso… delante de ella…

—Grandmère, ¿de qué estás hablando? Pues claro que te quiero…

—Entonces, ¿por qué no vas a venir conmigo al baile Blanco y Negro de la condesa Trevanni? —gimoteó Grandmère.

Pestañeando sin parar, solo pude barbotear:

—¿Q… qué?

—Tu padre dice que no irás al baile —explicó Grandmère—. ¡Dice que no quieres ir!

—Grandmère —dije—. Ya sabes que no quiero ir. Ya sabes que Michael y yo…

—¡«Ese chico»! —gritó Grandmère—. ¡«Ese chico» otra vez!

—Grandmère, deja de llamarle así —protesté—. Sabes perfectamente cómo se llama.

—Y supongo que para ti ese tal Michael —añadió Grandmère, inspirando por la nariz con desdén— es más importante que yo. Supongo que tus sentimientos por él están por delante de los míos.

La respuesta a eso era, por supuesto, un sí rotundo. Pero no quería ser grosera, así que le dije:

—Grandmère, mañana por la noche tendremos nuestra primera cita. Michael y yo, quiero decir. Es muy importante para mí.

—Y supongo que el hecho de que para mí fuera muy importante que asistieras a ese baile no significa nada, ¿cierto? —Por un momento me pareció que realmente se sentía desgraciada; casi me pareció ver lágrimas en sus ojos, pero quizá solo era un efecto de la luz atenuada—. Ni tampoco el hecho de que Elena Trevanni me haya tratado con prepotencia desde que éramos niñas, solo por haber nacido en el seno de una familia más respetada y aristocrática que la mía. Ni que siga creyendo que es mucho mejor que yo, porque se casó con un conde sin responsabilidades, solo con una riqueza infinita, mientras que yo me he visto obligada a trabajar con ahínco para convertir Genovia en el paraíso turístico que es hoy. Ni que esperara que, por una vez, presentándole a la encantadora y educada nieta que tengo, pudiera presumir yo delante ella.

Me quedé muda. No tenía ni idea de que ese estúpido baile fuera tan importante para ella. Creía que su única intención era que Michael y yo rompiéramos y que a mí empezara a gustarme el príncipe René, para que así algún día nuestras familias quedaran unidas por el sagrado matrimonio y nosotros creáramos una estirpe de «superregios». No se me había pasado por la cabeza que pudiera haber alguna circunstancia oculta atenuante...

Como que la condesa Trevanni fuera, en esencia, la Lana Weinberger de Grandmère.

Porque eso era lo que parecía, que Elena Trevanni había torturado y martirizado a Grandmère con la misma crueldad con que Lana Weinberger me había torturado a mí durante años.

Me pregunté si Elena, como Lana, le habría sugerido a Grandmère que usara tiritas en lugar de sujetador. Si le había dicho eso a Clarisse Renaldo, era mucho, muchísimo más valiente que yo.

—Y ahora —prosiguió Grandmère, muy triste—, tengo que decirle que mi nieta no me quiere lo bastante para dejar de lado a su nuevo novio una triste noche.

Con gran pesar en el corazón, en ese instante supe lo que debía hacer. Sé cómo se sentía Grandmère. Si hubiese habido algún modo (¡alguno!) de haber vacilado a Lana —además de salir con su novio, cosa que ya hice, pero que acabó humillándome mucho más de lo que me había humillado Lana—, lo habría aprovechado. Habría hecho cualquier cosa.

Porque cuando alguien es malo y cruel y repugnante como Lana (no solo conmigo, sino también con todas las chicas del Instituto Albert Einstein que no tuvieron la suerte de nacer guapas ni ser populares), merece que le restrieguen por la cara la dicha ajena.

Resultaba muy extraño pensar en que alguien como Grandmère, que parecía tan increíblemente segura de sí misma, pudiese tener una Lana Weinberger en su vida. Me refiero a que siempre había considerado a Grandmère la clase de persona que se hubiese puesto hecha una furia y le hubiese devuelto la jugada exhibiéndole sus mejores joyas si Lana hubiese desparramado su larga melena rubia sobre su pupitre.

Pero quizá había alguien a quien incluso Grandmère temía un poco. Y quizá esa persona fuera la condesa Trevanni.

Y, aunque es verdad que no quiero tanto a Grandmère como a Michael —no quiero a nadie tanto como a Michael, excepto a Fat Louie, claro—, en ese momento Grandmère me daba más pena que yo misma —que yo misma en el caso de que Michael acabara abandonándome por haber cancelado nuestra cita—. Suena increíble, pero es verdad.

Así que, sin acabar de creerme del todo las palabras que brotaban de mi boca, solté:

—Muy bien, Grandmère, haré acto de presencia en tu baile.

Un cambio milagroso se produjo en Grandmère, que pareció iluminarse de golpe.

—¿De verdad, Amelia? —preguntó, alargando las manos para cogerme las mías—. ¿De verdad harás eso por mí?

Sabía que iba a perder a Michael para siempre, pero, como había dicho mi madre, si no lo entendía, probablemente es que no era el hombre adecuado para mí.

Soy una incauta, pero ella parecía tan feliz… Se quitó de encima el chal de cachemira —y a Rommel— y llamó a su doncella para que le llevara un Sidecar y cigarrillos, y luego empezamos la lección del día, que consistía en cómo preguntar el número de teléfono de la compañía de taxis más próxima en cinco idiomas diferentes.

Cuando a mí lo único que me interesa saber cómo se dice es: «¿Qué?».

No creo que vaya a tener que llamar nunca a un taxi en indostaní, la verdad.

Pero… ¿qué voy a decirle a Michael? ¿¿¿QUÉ??? En serio. Si no me deja ahora es que algo no le funciona. Y como que sé que le funciona todo, sé que está a punto de dejarme.

Ante lo cual solo puedo comentar que NO HAY JUSTICIA EN EL MUNDO. NINGUNA.

Dado que mañana por la mañana Lilly tiene la reunión con los productores de la película sobre mi vida, supongo que será entonces cuando comunique la noticia a Michael. Así podrá dejarme antes de entrar en clase. Quizá consiga dejar de llorar antes de que Lana me vea en Álgebra, que tenemos a primera hora. No creo que vaya a ser capaz de soportar sus burlas teniendo el corazón roto, arrancado del pecho y pisoteado en el suelo.

Me odio.

He visto la película sobre mi vida. Mi madre me la grabó cuando estaba en Genovia. Creía que el señor G. había grabado encima un partido de béisbol, pero resultó que no.

El tipo que encarnaba a Michael era un niñato. En la película, al final, acabábamos juntos.

Lástima que en la vida real vaya a dejarme mañana…, aunque Tina cree que no lo hará.

Es muy amable al decírmelo, pero lo cierto es que Michael va a dejarme mañana. Es una cuestión de orgullo. Me refiero a que si una chica con la que ya llevas saliendo treinta y cuatro días cancela vuestra primera cita, no te queda más remedio que romper con ella. Lo entiendo perfectamente. Incluso yo rompería conmigo. Está claro que los adolescentes de la realeza no pueden ser normales, como los demás. Quiero decir que para gente como el príncipe Guillermo y como yo, el deber siempre será lo primero. ¿Quién va a ser capaz de entender eso, por no hablar de soportarlo?

Tina dice que Michael es capaz. Tina dice que Michael no romperá conmigo porque me quiere. Yo le dije que sí romperá conmigo porque solo me quiere como a una amiga.

—Es evidente que Michael te quiere como a algo más que una simple amiga —insistió Tina por teléfono—. ¡Pero si os habéis besado!

—Sí —contesté—, pero Kenny y yo también nos besamos y a mí él no me gustaba como algo más que un simple amigo.

—Es una situación totalmente distinta —dijo Tina.

—¿Por qué?

—¡Porque Michael y tú estáis hechos el uno para el otro! —Tina parecía exasperada—. ¡Lo dice tu carta astral! Kenny y tú nunca fuisteis el uno para el otro, porque él es Cáncer.

A pesar de las predicciones astrológicas de Tina, no hay pruebas de que Michael sienta algo más fuerte por mí que por, pongamos, Judith Gershner. Sí, me escribió un poema en el que utilizaba la Gran Palabra. Pero de eso hace ya un mes entero, periodo durante el cual yo he estado en otro país. No ha vuelto a emitir ninguna declaración similar desde mi regreso. Creo que es más que probable que mañana será la gota que colme el vaso. Vamos, ¿por qué iba Michael a malgastar su tiempo con una chica como yo, que ni siquiera es capaz de plantarle cara a su abuela? Estoy segura de que si la abuela de Michael le hubiese soltado: «Michael, tienes que acompañarme al bingo el viernes por la noche, porque Olga Krakowski, mi rival de la infancia, estará allí y quiero presumir de ti», él le habría contestado: «Lo siento, abuela, pero no podré».

No, yo soy la que no tiene personalidad.

Y yo soy quien debe sufrir por ello.

Me pregunto si será demasiado tarde para cambiarme de instituto, porque no creo que vaya a soportar estudiar en el mismo instituto que Michael después de que hayamos roto. Verle en el pasillo, en el almuerzo, en G y T, sabiendo que hubo un tiempo en que fue mío..., podría acabar conmigo.

Pero ¿habrá en Manhattan otro instituto que acepte a una marginada sin talento y sin personalidad como yo? Lo dudo.

Para Michael

Oh, Michael, mi amor verdadero,
teníamos por descubrir el mundo entero...
Pero te perdí por mi falta de personalidad,
y ahora sufro porque no te puedo olvidar.

Viernes, 23 de enero, en el aula

Bien. Ya está. Ya se lo he dicho.

Y no me ha dejado. Todavía. De hecho, se ha mostrado muy amable con respecto a todo el asunto.

–De verdad, Mia –fue lo que dijo–. Lo entiendo. Eres una princesa. El deber es lo primero.

Quizá es solo que no quería romper conmigo en el instituto, delante de todo el mundo…

Le dije que intentaría escabullirme del baile lo antes posible, y él contestó que si lo conseguía pasara por allí. Por el apartamento de los Moscovitz, quiero decir.

Por supuesto, sé lo que esto significa: va a dejarme en su casa.

¡OH, DIOS MÍO! ¿¿¿QUÉ ME PASA??? Hace años y años que conozco a Michael. No es la clase de chico que dejaría a una chica solo porque a ella le surja una obligación familiar que deba anteponer a su cita. ÉL NO ES ASÍ. POR ESO LE AMO.

Pero ¿por qué no puedo dejar de pensar que la única razón por la que no me dejó en ese mismo instante y en ese mismo lugar fue porque no sería capaz de hacer algo así en mi propia limusina, delante de mi guardaespaldas y mi chófer? Me refiero a que sin duda Michael sabe que Lars debe de estar entrenado para darle un puñetazo al chico que intente dejarme en su presencia.

TENGO QUE PARAR ESTO. MICHAEL NO ES DAVE FAROUQ EL-ABAR. No va a dejarme por esto.

Aunque… entonces, ¿por qué tengo la sensación de saber lo que debió de sentir Jane Eyre cuando supo la verdad sobre Bertha el día de su boda? No, Michael no tiene una esposa. De eso estoy segura. Pero es perfectamente posible que mi relación con él, como la de Jane con el señor Rochester, esté a punto de acabarse. Y no se me ocurre ninguna manera en absoluto de arreglarlo. Es posible que esta noche, cuando vaya a casa de los Moscovitz, la encuentre en llamas, y que tenga la oportunidad de demostrar que soy digna del amor de Michael salvando del incendio desinteresadamente a su madre, o tal vez a su perro, Pavlov…

Pero, si no es así, no me imagino volviendo con él. Le daré, por supuesto, el regalo de cumpleaños; no en vano me arriesgué a robarlo…

Pero sé que eso no cambiará nada.

¿¿¿QUÉ ME PASA??? Ojalá fuera el síndrome premenstrual. Porque si el amor es así siempre, ¡¡¡¡¡¡¡¡ya no quiero estar enamorada!!!!!!!!!

Viernes, 23 de enero, todavía en el aula

Acaban de anunciar el nombre de la más reciente incorporación al equipo de animadoras del Instituto Albert Einstein: Shameeka Taylor.

Genial. Sí, genial. Bueno, pues ya está. Ya soy oficialmente la única persona que conozco que no tiene el menor talento apreciable.

Soy una marginada en TODOS los sentidos.

Viernes, 23 de enero, clase de Álgebra

Michael no ha venido a verme entre clase y clase. Es el primer día en toda la semana que no se pasa por aquí para saludar camino de su clase de Lengua, que tiene tres aulas más allá.

Estoy haciendo grandes esfuerzos por no tomármelo como algo personal, pero mi voz interior no para de decirme: «¡Ya está! ¡Se acabó! ¡Te ha dejado!».

Estoy segura de que Kate Bosworth no tiene una voz interior con vida propia. ¿¿¿POR QUÉ no podré haber nacido siendo Kate Bosworth en lugar de yo, Mia Thermopolis???

Para empeorarlo todo —como si pudiera preocuparme por algo tan banal—, Lana acaba de volverse para susurrarme: «No creas que porque tu amiguita haya conseguido entrar en el equipo va a cambiar algo entre nosotras, Mia. Ella es igual de lerda y patética que tú. Solo la han aceptado en el equipo para completar la cuota de bichos raros».

Y entonces se volvió con un gesto brusco. Aunque no lo bastante brusco, porque gran parte de su melena seguía desparramada sobre mi pupitre.

De modo que cuando cerré de golpe mi libro de texto *Álgebra I-II* con toda la fuerza que pude —que es lo que hice a continuación—, la mayor parte de sus mechones sedosos y con aroma de awapuhi quedaron atrapados entre las páginas 210 y 211.

Lana gritó de dolor. El señor G., que escribía en la pizarra, se dio la vuelta, vio de dónde procedían los gritos y suspiró.

—Mia —dijo—. Lana. ¿Qué pasa ahora?

Lana disparó un dedo en mi dirección.

—¡Ha cerrado el libro y me ha pillado el pelo!

Yo me encogí de hombros con aire inocente.

—No sabía que su pelo estaba en mi libro. Además, ¿por qué no puede guardarse su pelo para ella?

El señor Gianini parecía hastiado.

—Lana —dijo—, si no puedes controlar tu pelo, te recomiendo que te lo recojas. Mia, no cierres el libro con brusquedad. De hecho, deberías tenerlo abierto por la página doscientos once, de donde quiero que leas el apartado dos. En voz alta.

Leí en voz alta el apartado dos, aunque no sin cierto remilgo. Por una vez, la venganza contra Lana había sido mía y NO me habían enviado al despacho de la directora. Oh, qué dulce era. Dulce, dulce justicia.

Aunque ni siquiera sé por qué tengo que aprenderme todo esto; el Palais de Genovia no está precisamente lleno de empleados carcas que se mueran por multiplicar fracciones por mí.

Polinomios

Término: variable(s) multiplicada(s) por un coeficiente.

Monomio: polinomio con un término.
Binomio: polinomio con dos términos.
Trinomio: polinomio con tres términos.

Grado de polinomio = grado del término con el grado mayor.

Deleitada con el dolor que le había infligido a mi enemiga, estuve a punto de olvidar el hecho de que tengo el corazón roto. Debo recordar que Michael va a dejarme esta noche, después del baile Blanco y Negro. ¿¿¿Por qué no consigo CONCENTRARME??? Debe de ser el amor. Estoy enferma de amor.

Viernes, 23 de enero, clase de Salud y Seguridad

¿Por qué tienes aspecto de haber acabado de comerte un calcetín?

No sé de qué hablas. ¿Cómo ha ido la reunión de esta mañana?

Sí que lo sabes. La reunión ha ido DE MARAVILLA.

¿De verdad? ¿Han accedido a publicar una disculpa a toda página en *Variety*?

No, aún mejor. ¿Ha pasado algo entre mi hermano y tú? Porque acabo de verle en el pasillo y parecía furtivo.

¿FURTIVO? ¿Cómo de furtivo? ¿¿¿Cómo si estuviese buscando a Judith Gershner para invitarla a salir esta noche???

No, más como si estuviese buscando un teléfono público. ¿Por qué iba a invitar a Judith Gershner? No sé cuántas veces voy a tener que decirte que le gustas tú, no J. G.

Le gustaba, querrás decir. Antes de que me viera obligada a cancelar nuestra cita de hoy porque Grandmère me obliga a asistir a un baile.

¿Un baile? En serio: puaj. Pero, disculpa: Michael no va a invitar a salir a ninguna otra chica solo porque tú no puedas. De verdad, estaba deseando salir contigo, y no solo por motivos concupiscentes.

¿¿¿DE VERDAD???

Sí, tonta. ¿Qué te creías? ¡Estáis saliendo juntos!

Pero es que de eso se trata, precisamente: que no. Que aún no hemos salido, quiero decir.

¿Y? Ya saldréis cuando no tengas que asistir a ningún baile.

¿No crees que va a dejarme?

Hum..., no, a menos que desde la última vez que le vi le haya caído algo muy pesado en la cabeza. Por lo general, a los chicos que sufren lesiones cerebrales no se los puede responsabilizar de sus actos.

¿Por qué iba a caerle algo muy pesado en la cabeza?

Solo estaba siendo jocosa. ¿Quieres saber cómo ha ido la reunión o no?

Sí. ¿Qué ha pasado?

Me han dicho que están interesados en mi programa.

¿Qué significa eso?

Significa que van a ofrecer Lilly lo cuenta tal y como es *a las cadenas de televisión para ver si alguien quiere comprarlo. Para que sea un programa de verdad. Y lo emita un canal de verdad. Nada de una cadena pública, sino alguna como la ABC o Lifetime o VH1 o algo así.*

¡¡¡Lilly!!! ¡¡¡¡¡¡ES FANTÁSTICO!!!!!!

Sí, lo sé. Glups, tengo que dejarte. Wheeton nos está mirando.

Nota para mí: buscar en el diccionario las palabras «concupiscente» y «jocoso».

Viernes, 23 de enero, hora de G y T

Hoy el almuerzo ha sido una gran celebración. Todo el mundo tenía algún motivo para estar contento:

- Shameeka, por conseguir la plaza en el equipo de animadoras y romper una lanza en favor de todas las chicas marginadas (aunque, claro está, Shameeka parece una supermodelo y es capaz de cruzar los tobillos detrás de la nuca, pero en fin);
- Lilly, porque se han interesado por su programa televisivo;
- Tina, por decidir finalmente renunciar a Dave, pero no al romanticismo ni a las relaciones sentimentales en general, y seguir con su vida;
- Ling Su, porque han seleccionado su retrato de Joe, el león de piedra, para exhibirlo en la feria de arte del instituto,
- y Boris, por, bueno, ser Boris. Boris siempre está contento.

Observarás que no he mencionado a Michael. El motivo es que no sé cuál era el estado mental de Michael a la hora del almuerzo, ni si estaba contento o triste o concupiscente o lo que sea. El motivo es que Michael no se presentó a la hora del almuerzo. Me dijo tan pancho delante de mi taquilla, justo antes de la cuarta clase del día: «Eh, tengo cosas que hacer. Te veré en G y T, ¿vale?».

«Cosas que hacer.»

Debería preguntarle, claro. Debería soltarle algo así como: «Oye, ¿vas a dejarme después de esto o qué?». Porque de verdad me gustaría saberlo, de un modo u otro.

Aunque no puedo ir sin más y preguntarle a Michael qué hay entre nosotros, porque ahora mismo está ocupado con

Boris, comentando cosas del grupo. La banda de Michael está formada (de momento) por Michael (bajo de precisión), Boris (violín eléctrico), ese tipo tan alto del Club de Informática, Paul (teclados), un tipo que toca en la banda del instituto, Trevor (guitarra), y Felix, ese veterano de aspecto temible con una perilla más espesa que la del señor Gianini (batería). Aún no tienen nombre para el grupo ni un sitio donde ensayar, pero por lo visto creen que el señor Kreblutz, el bedel jefe, les dejará las salas de ensayo los fines de semana si le consiguen entradas para la final del concurso de mascotas del próximo mes. El señor Kreblutz es un fan incondicional de los caniches.

El hecho de que Michael pueda concentrarse en todos estos asuntos del grupo mientras nuestra relación se desmorona es solo una prueba más de que es un verdadero músico, que está completamente consagrado a su arte. Yo, siendo el bicho raro sin talento que soy, no puedo pensar en otra cosa que en mi sufrimiento, claro. La capacidad de Michael para seguir concentrado a pesar del dolor que podría estar sintiendo es una muestra más de su genialidad.

De eso o de que nunca llegué a importarle demasiado.

Prefiero creer que es lo primero.

¡Oh, ojalá tuviera alguna válvula de escape, como la música, con la que descargarme del dolor que me atenaza en estos momentos! Pero, lamentablemente, no soy artista. Solo puedo sentarme y sufrir en silencio, mientras a mi alrededor almas más dotadas expresan su angustia más profunda mediante la música, la danza y la televisión.

Bueno, vale, solo mediante la televisión, porque en la clase de G y T de nuestra promoción no hay cantantes ni bailarines. Solo tenemos a Lilly, rematando lo que ella llama su «episodio quintaesencia» de *Lilly lo cuenta tal y como es*, un programa que explorará los sórdidos barrios bajos de esa institución estadounidense conocida como Starbucks. Lilly sostiene que Starbucks, con la introducción de la tarjeta Starbucks −que permite a los adictos a la cafeína pagar sus dosis con dinero electrónico−, es en realidad una rama secreta de la CIA, que sigue el rastro a la inteligencia estadounidense (escritores, editores y otros conocidos agitadores liberales) a través de su consumo de café.

En fin. A mí ni siquiera me gusta el café.

Ay, vaya. La campana.

DEBERES

Álgebra: ¿a quién le importa?

Lengua: todo es un fastidio.

Bío: odio la vida.

Salud y Seguridad: el señor Wheeton también está enamorado. Debería advertirle que huya ahora que todavía está a tiempo.

G y T: ni siquiera debería estar en esta clase.

Francés: ¿por qué siquiera existe este idioma? A fin de cuentas, aquí todo el mundo habla inglés.

Civ. del Mundo: ¿y qué importa? Todos vamos a morir.

Viernes, 23 de enero, 18.00 h, suite de Grandmère en el Plaza

Grandmère me hizo venir directamente al salir del instituto para que Paolo empiece a prepararnos ya para el baile. No sabía que Paolo hiciera servicios a domicilio. Solo lo hace para la realeza, me aseguró, y, por supuesto, para Madonna.

Le expliqué que voy a dejarme el pelo largo porque a los chicos les gusta más que el pelo corto, y Paolo hizo unos ruiditos con la lengua y me puso varios rulos para quitarle a mi cabellera la forma triangular, y supongo que funcionó, porque ahora está bastante bonita. Toda yo he quedado bastante bien. Por fuera, claro.

Lástima que por dentro esté hecha un asco.

Aunque estoy intentando esconderlo. Ya sabes, porque quiero que Grandmère crea que me lo estoy pasando bien. En realidad, solo estoy haciendo esto por ella, porque es una anciana y es mi abuela, y porque ha luchado contra los nazis y todo eso, así que alguien debe compensarla de vez en cuando.

Solo espero que algún día sepa valorarlo. Mi sacrificio supremo, quiero decir. Pero dudo de que llegue a hacerlo. Las señoras de setenta y pico años (y en particular las princesas viudas) parecen no recordar qué se siente a los catorce años y estando enamorada.

Bueno, supongo que ha llegado la hora. Grandmère se ha puesto un vestido muy ajustado y rebozado en purpurina. Parece Diana Ross. Pero sin cejas. Y vieja. Y blanca.

Dice que parezco una campanilla de invierno. Hum… lo que siempre he querido: parecer una campanilla de invierno.

Quizá sea ese mi talento secreto: poseo la sorprendente capacidad de parecer una campanilla de invierno.

Mis padres deben de estar muy orgullosos.

Viernes, 23 de enero, 20.00 h, en el cuarto de baño de la mansión de la condesa Trevanni, en la Quinta Avenida

Sí. En el cuarto de baño. En el cuarto de baño otra vez, donde acabo en todos los bailes. ¿Por qué siempre me pasa lo mismo?

En mi opinión, el cuarto de baño de la condesa es un poco demasiado recargado. Es bonito y eso, pero creo que yo no habría escogido estos apliques de pared con llamas de verdad. Aunque le dan un aire romántico, a lo *Ivanhoe*, suponen un peligro de incendio muy grave, además de seguramente un riesgo para la salud, teniendo en cuenta los carcinógenos que deben de despedir.

En fin. Ni siquiera es esa la cuestión, por qué alguien debe de querer llamas de verdad en el cuarto de baño. La cuestión, por supuesto, es la siguiente: si se supone que desciendo de todas esas mujeres fuertes (ya sabes, Rosamunda, que estranguló al caudillo con una de sus trenzas, y Agnes, que se tiró del puente, por no mencionar a Grandmère, que supuestamente impidió a los nazis arrasar Genovia invitando a tomar el té a Hitler y a Mussolini), ¿cómo es posible que yo que sea tan ingenua?

En serio. Me tragué todo el cuento de Grandmère sobre su deseo de presumir ante Elena Trevanni de su hermosa y educada (sí, y parecida a una campanilla de invierno) nieta. Llegué a sentir lástima por ella. Sentí empatía por ella, sin darme cuenta entonces (como sí me doy cuenta ahora) de que Grandmère carece por completo de emociones humanas y que todo ha sido solo una farsa para hacerme venir al baile y poder exhibirme como… ¡¡¡¡¡¡¡¡¡¡¡LA NUEVA NOVIA DEL PRÍNCIPE RENÉ!!!!!!!!!!!!

En su favor diré que René parecía no saber nada al respecto. Pareció tan sorprendido como yo cuando Grandmère me presentó a su supuesta archirrival, quien, gracias a los milagros de la cirugía plástica, parece como treinta años más joven que Grandmère, aunque se supone que tienen la misma edad.

Bueno, la verdad es que creo que la condesa se ha pasado un poco de la raya con lo de la cirugía —supongo que es difícil saber encontrar los límites, basta con mirar al pobre Michael Jackson—, porque, como bien dijo Grandmère, realmente parece un poco una lubina estrábica. Como si tuviera los ojos demasiado alejados entre sí por haberse estirado tanto la piel de las sienes.

Cuando Grandmère me presentó («Condesa, te presento a mi nieta, la princesa Amelia Mignonette Grimaldi Renaldo»; como siempre, obvió el Thermopolis), pensé que todo iba a salir bien. Bueno, todo no, claro, pues justo después del baile sabía que iba a ir a casa de mi mejor amiga y que quizá-tal–vez-posiblemente su hermano me dejara. Pero, ya sabes, me refiero a todo en el baile.

Pero entonces Grandmère añadió:

—Y por supuesto ya conoces al pretendiente de Amelia, el príncipe Pierre René Grimaldi Alberto.

¿Pretendiente? ¿¿¿PRETENDIENTE??? René y yo intercambiamos una mirada rápida. Fue entonces cuando observé que, justo al lado de la condesa, había una chica que debía de ser su nieta, la nieta a la que debían de haber expulsado de la escuela. Parecía poco agraciada y tristona, aunque el vestido negro ceñido que llevaba era exactamente del tipo que habría querido llevar al baile de final de curso, si alguien me invitara a ir, claro. Aun así, no podía decirse que lo luciera con gracia.

De modo que mientras seguía allí de pie, con la cara roja como un tomate y probablemente sin parecerme ya tanto a una campanilla de invierno, sino más bien a una piruleta, la condesa alzó levemente la cabeza para observarme mejor y dijo:

–De modo que finalmente alguien ha atrapado al granujilla de René, y ha sido tu nieta, Clarisse. Debe de resultarte enormemente satisfactorio.

Y entonces la condesa lanzó a su propia nieta (a quien me presentó como Bella) una mirada tan malévola que hizo que la joven se encogiera.

Y en ese instante comprendí con exactitud qué estaba ocurriendo.

Luego Grandmère contestó:

–Sí, lo es, Elena. –Se volvió hacia René y hacia mí, y añadió–: Vamos, niños. –Tras lo cual, la siguió. René parecía divertido, pero ¿yo? ¡Yo estaba furiosa!

–No puedo creer que hayas hecho esto –grité en cuanto la condesa se alejó lo suficiente.

–¿A qué te refieres, Amelia? –preguntó Grandmère, saludando con un gesto afirmativo a un tipo ataviado con un traje africano.

–A que le hayas dicho a esa mujer que René y yo estamos saliendo –contesté–, cuando es evidente que no estamos saliendo. Sé que solo lo has hecho para dejarme en mejor lugar que a la pobre Bella.

–René –dijo Grandmère con voz dulce. Puede ser muy dulce cuando quiere–, ¿serías tan amable de traernos un poco de *champagne*, querido?

René, que aún parecía cínicamente divertido (igual que Enrique Iglesias en los anuncios de Doritos) se alejó en busca de libación.

—Amelia —dijo Grandmère cuando se hubo marchado—, ¿de verdad tienes que ser tan grosera con el pobre René? Solo intento hacer que tu primo se sienta bien acogido y cómodo.

—¡Hay una diferencia grande —repuse— entre hacer sentir bien acogido y cómodo a mi primo e intentar hacerle pasar por mi novio!

—Bien, en cualquier caso, ¿qué tiene de malo René? —quiso saber Grandmère. A nuestro alrededor, elegantes invitados ataviados con esmoquin y vestidos de gala se dirigían a la pista de baile, donde una orquesta al completo tocaba la canción que Audrey Hepburn canta en aquella película sobre diamantes. Todos iban vestidos de blanco o de negro. El salón de la condesa guardaba un gran parecido con el recinto de los pingüinos del zoo de Central Park, adonde una vez fui a llorar, cuando conocí mi verdadera condición—. Es extremadamente encantador —prosiguió Grandmère— y bastante cosmopolita. Por no mencionar su endemoniado atractivo. ¿Cómo puedes preferir a un chico de instituto que un príncipe?

—Porque —contesté— le quiero, Grandmère.

—Amor —dijo Grandmère, mirando al inmenso techo de vidrio—. *Pfuit!*

—Sí, Grandmère —repetí—. Le quiero. Le quiero del mismo modo que tú querías a Grandpère, y no intentes negarlo, porque sé que le querías. Ahora vas a tener que abandonar ese deseo secreto que albergas de convertir al príncipe René en tu nieto político porque es algo que no va a suceder.

Grandmère parecía de pronto inocente.

—No sé a qué te refieres —dijo, y suspiró.

—Basta ya, Grandmère. Quieres que salga con el príncipe René solo porque pertenece a la realeza y eso hará que la condesa se sienta mal. Bueno, pues es algo que no va a suceder. Aunque Michael y yo rompiéramos —cosa que probablemente ocurrirá antes de lo que ella imagina—, ¡no saldría con René!

Grandmère finalmente empezó a dar la impresión de creerme.

—Muy bien —concluyó, sin demasiada gracia—. Dejaré de llamar a René tu pretendiente, pero tienes que bailar con él. Al menos una canción.

—Grandmère… —Lo último que me apetecía en el mundo era bailar—. Por favor, hoy no. No sabes…

—Amelia —me interrumpió Grandmère con un tono de voz distinto al que había empleado hasta entonces—. Un baile. Es todo cuanto te pido. Creo que me lo debes.

—¿Que te lo debo? —Al oír eso no pude contener una carcajada—. ¿Me lo explicas?

—Oh, verás, solo por un pequeño objeto —contestó Grandmère con aire inocente— que recientemente se ha echado en falta en el museo de palacio.

Todo mi espíritu combativo Renaldo salió por las puertas de la condesa directo al patio en cuanto oí eso. Me sentí como si alguien me hubiese asestado un puñetazo en mi estómago de campanilla de invierno. ¿¿¿De verdad había dicho Grandmère lo que creía que había dicho???

Tragué saliva y barboteé:

—¿Q… qué?

—Sí. —Grandmère me miró altanera—. Un objeto de valor incalculable, uno de varios prácticamente idénticos que me regaló mi queridísimo amigo, el señor Richard Nixon, antiguo y difunto presidente de Estados Unidos, se ha echado en falta en el museo. Asumo que la persona que lo cogió supuso que nunca nadie se apercibiría de su ausencia, porque no parecía un objeto único y se parecía mucho a los que le acompañaban. Aun así, entrañaba un enorme valor sentimental para mí. Dick fue un amigo muy querido en Genovia mientras ocupó su cargo, pese a todos los problemas que tuvo después. Por supuesto, tú no sabrás nada de todo esto, ¿verdad, Amelia?

¡Me había atrapado! Me había atrapado y lo sabía. No imagino cómo lo habrá averiguado —sin duda con ayuda de la magia negra, en la que sospecho que Grandmère está muy versada—, pero era evidente que lo sabía. Y yo estaba muerta. Estaba muerta del todo. No sé si, por pertenecer a la familia real y eso, estaba al margen de las leyes de Genovia, pero por una vez preferí no saberlo.

Ahora me doy cuenta de que debería haber fingido. Debería haber dicho algo como: «¿Un objeto de valor incalculable? ¿Qué objeto de valor incalculable?».

Pero sabía que no me convenía mentir: se me ensancharía la nariz. En lugar de mentir, solté, con una voz chirriante y aguda que apenas reconocí como mía:

—¿Sabes qué, Grandmère? Me encantará bailar con René. ¡Ningún problema!

Grandmère parecía satisfecha en extremo y dijo:

—Sí, creí que acabaría apeteciéndote. —Entonces sus cejas tatuadas se arquearon—. Oh, mira, aquí llega el príncipe René con nuestro refrigerio. Qué chico tan dulce…, ¿no te parece?

En fin, así es como ocurrió que me viera obligada a bailar con el príncipe René, que baila bien pero que, de todos modos, no es Michael. Me refiero a que nunca ha visto *Buffy Cazavampiros* y cree que Windows es sensacional.

Sin embargo, mientras bailábamos ocurrió algo increíble. René me preguntó:

—¿Te has fijado en Bella Trevanni? Mírala, está allí. Parece una planta que hayan olvidado regar.

Miré alrededor para ver de qué hablaba y sí, allí estaba la pobre y triste Bella, bailando con un anciano que debía de ser amigo de su abuela. Parecía muy afligida, como si el anciano le estuviese hablando de su cartera de inversiones o algo así. Claro que teniendo una abuela como la condesa, quizá ese era su aspecto habitual. Y yo noté que se me inundaba el corazón de compasión, porque sé bien lo que se siente al estar en un sitio donde no quieres estar, bailando con alguien que no te gusta…

Miré a René y dije:

—Cuando acabe este baile, sácala a bailar.

Le llegó el turno a René de parecer afligido.

—¿Tengo que hacerlo?

—Vamos, René —insistí con voz severa—. Sácala a bailar. Que un apuesto príncipe la invite a bailar será la emoción de su vida.

—Pero para ti no tanto, ¿eh? —repuso René, de nuevo con su sonrisa cínica.

—René —contesté—, sin ánimo de ofender, yo ya conocí a mi príncipe mucho antes de conocerte a ti. El único problema es que si no salgo pronto de aquí, no sé por cuánto tiempo más seguirá siendo mi príncipe, porque ya me he perdido la película que íbamos a ver juntos y pronto será demasiado tarde para hacerle una visita…

—No temáis, alteza —dijo René, haciéndome girar—. Si escabulliros del baile es vuestro deseo, me encargaré de que lo veáis cumplido.

Le miré con recelo. ¿Por qué se había vuelto René tan amable conmigo de repente? ¿Tal vez por el mismo motivo por el que yo quería que bailara con Bella? ¿Porque le daba pena?

—Hum… —vacilé—, de acuerdo.

Y así es como acabé en el cuarto de baño. René me dijo que me escondiera y que él iría a buscar a Lars para que parase a un taxi; en cuanto lo hubiera conseguido y el horizonte estuviera despejado, René llamaría a la puerta tres veces. Dijo que Grandmère estaría demasiado ocupada para reparar en mi deserción. Luego, prometió, le diría que seguramente me había comido una trufa en mal estado, ya que parecía mareada y Lars me había llevado a casa.

Aunque no importa, claro está. Nada de esto, quiero decir. Porque voy a llegar a casa de Michael justo a tiempo para que me deje. Quizá se sienta un poco mal al hacerlo, ya sabes, después de que le dé el regalo de cumpleaños. Pero también es posible que se alegre de librarse de mí. ¿Quién sabe? Me he rendido: ya no intento entender a los hombres. Son una especie aparte.

Glups, René acaba de llamar a la puerta. Tengo que irme. Para afrontar mi sino.

Viernes, 23 de enero, 23.00 h, en el cuarto de baño del apartamento de los Moscovitz

Ahora sé cómo debió de sentirse Jane Eyre al regresar a Thornfield Hall y encontrarlo reducido a cenizas y que todo el mundo le dijera que quienes se habían quedado dentro habían muerto en el incendio.

Aunque ella descubre que el señor Rochester no ha muerto, y es superfeliz porque, bueno, a pesar de lo que él había intentado hacerle ella le ama.

Así es como me siento yo ahora mismo: superfeliz. ¡¡¡Porque, después de todo, creo que Michael no va a romper conmigo!!!

No es que hubiera llegado a creer que fuera a hacerlo…, bueno, NO DEL TODO. Porque él no es de esa clase de chicos. Pero me dio muchísimo miedo que fuera a hacerlo cuando me planté en la puerta del apartamento de los Moscovitz y posé el dedo en el timbre. No podía dejar de pensar: «¿Por qué estoy haciendo esto? Estoy yendo directa al martirio, a que me rompan el corazón. Debería dar media vuelta, hacer que Lars pare otro taxi y me lleve directa a casa». Ni siquiera me había molestado en cambiarme el estúpido vestido de gala, porque ¿qué sentido tenía? De todos modos, en unos pocos minutos ya estaría camino de casa y podría cambiarme allí.

Así que allí seguía, en el pasillo, con Lars detrás de mí hablando sin parar sobre la cacería de jabalíes en Belice, porque ahora es de lo único que habla, y oigo a Pavlov, el perro de Michael, ladrando porque alguien se dirigía a abrir la puerta, y yo pensé: «Vale, cuando rompa conmigo, NO voy a llorar. Voy a recordar a Rosamunda y a Agnes, y voy a ser igual de fuerte que ellas…».

Y entonces Michael abrió la puerta. Era evidente que se quedó algo desconcertado por mi apariencia. Creí que se debía a que no había contado con tener que romper con una campanilla de invierno, pero yo no podía hacer nada al respecto, aunque en el último segundo recordé que aún llevaba puesta la diadema, que supongo que debe de intimidar, ya sabes, a algunos chicos.

Así que me la quité y le dije:

—Bien, ya estoy aquí. —Un comentario muy inteligente por mi parte, porque, bueno, ejem, estaba ahí de pie, ¿no?

Pero Michael pareció recuperar la compostura y contestó:

—Oh, sí, pasa. Estás… estás muy guapa. —Lo cual es exactamente lo que un chico le diría a su novia cuando está a punto de romper con ella, para inflarle un poco el amor propio antes de aplastarlo de un pisotón.

Pero, en fin, el caso es que entré, y también Lars, y Michael dijo:

—Lars, mis padres están en el salón viendo un documental, por si te apetece sentarte con ellos…

Y así lo hizo, porque estaba claro que no le apetecía nada presenciar la Gran Ruptura.

De modo que Michael y yo nos quedamos solos en el recibidor. Yo le daba vueltas a la diadema, intentando dilucidar qué podía decir. Lo había intentado durante todo el trayecto en taxi, sin éxito.

Entonces Michael dijo:

—¿Has cenado? Porque tengo hamburguesas vegetales…

Levanté la mirada del suelo de parquet, que había examinado a conciencia, pues resultaba más fácil que mirar a las turberas que son los ojos de Michael, y que siempre me succionan hasta que ya no soy capaz de mover un dedo. En las sociedades celtas ancestrales castigaban a los criminales haciéndolos caminar sobre una turbera. Si se hundían, eran culpables; si no, eran inocentes. Lo que pasa es que uno siempre se hunde al caminar sobre una turbera. No hace mucho, en Irlanda, descubrieron un montón de cadáveres en una que aún conservaban los dientes y el pelo y eso. Estaban en muy buen estado. A mí me pareció grotesco, la verdad.

Así es como me siento cuando miro a Michael a los ojos. No conservada ni grotesca, sino atrapada en una turbera. Aunque no me importa, porque es una turbera cálida y hermosa y acogedora...

Y ahora me preguntaba si quería una hamburguesa vegetal. ¿Suelen los chicos preguntarles a sus novias si quieren una hamburguesa vegetal antes de romper con ellas? No estoy yo muy ducha en estas cuestiones, así que la verdad es que no lo sabía.

Pero creía que no.

—Hum... —contesté toda astuta—. No sé. —Y entonces pensé que quizá se trataba de una pregunta trampa—. Solo si tú te comes otra.

Y Michael dijo: «Vale» y me indicó con un gesto que le siguiera y fuimos a la cocina, donde Lilly tenía extendidos sobre la encimera de granito los *storyboards* del episodio de *Lilly lo cuenta tal y como es* que pretende filmar mañana.

—¡Vaya! —exclamó al verme—. ¿Qué te ha pasado? Pareces salida de un cuento de hadas.

—He ido a un baile —le recordé.

—Ah, sí —dijo Lilly—. Bueno, en mi opinión, en los cuentos de hadas salen vestidos que no están mal. Pero se supone que no debo estar aquí, así que haced como si no estuviera.

—Sí, claro —le aseguró Michael.

Y entonces Michael hizo algo de lo más extraño: se puso a cocinar.

En serio: ¡se puso a cocinar!

Bueno, vale, no exactamente cocinar, sino algo más parecido a recalentar. Pero aun así sacó de la nevera las dos hamburguesas vegetales precocinadas, las metió en sendos panecillos y colocó cada uno en un plato. Y luego sacó del horno patatas fritas y también las sirvió en los platos. Y después cogió el ketchup y la mayonesa y la mostaza, junto con dos latas de Coca-Cola, y lo colocó todo en una bandeja, y salió de la cocina, y antes de que pudiera preguntarle a Lilly por Dios bendito qué demonios estaba pasando, Michael regresó, cogió los dos platos y me dijo:

—Vamos.

¿Qué podía hacer, aparte de seguirle?

Le seguí hasta la sala de estar, donde Lilly y yo habíamos visto un sinfín de joyas cinematográficas por primera vez, como *Valley Girl* y *Triunfos robados* y *El ataque de la mujer de 50 pies* y *Cruzando la calle*.

Y allí, delante del sofá de cuero negro de los Moscovitz, que a su vez estaba delante de un televisor Sony de treinta y dos pulgadas, había dos mesitas plegables. Michael dejó los platos sobre las mesitas y nos sentamos, rodeados por el fulgor del primer fotograma de *La guerra de las galaxias*, que estaba congelado en la pantalla del televisor, obviamente en pausa.

—Michael —dije, desconcertada—. ¿Qué es esto?

—Bueno, no pudiste salir a tiempo para ir a la sala de proyecciones —contestó. Daba la impresión de que no acabara de creer que no lo hubiese deducido por mí misma—. Así que te he traído la sala de proyecciones aquí. Cenemos ya. Estoy muerto de hambre.

Puede que él estuviera muerto de hambre, pero yo estaba helada. Me quedé mirando las hamburguesas vegetales (que olían de maravilla) hasta que solté:

—Espera, espera… ¿No vas a romper conmigo?

Michael ya se había sentado en el sofá y se había llevado unas cuantas patatas fritas a la boca. Cuando dije esto, lo de romper, se volvió hacia mí para mirarme como si estuviera loca.

—¿Romper contigo? ¿Y por qué iba a hacerlo?

—Bueno —respondí, empezando a preguntarme si quizá no tendría razón él y estuviera loca—. Cuando te dije que no podría salir contigo esta noche, tú… bueno, pareciste un poco distante…

—No estaba distante —dijo Michael—. Intentaba pensar en una alternativa, qué podíamos hacer en lugar de ir al cine.

—Pero no apareciste a la hora del almuerzo…

—No —confirmó Michael—. Tuve que ir a llamar para encargar las hamburguesas vegetales y suplicarle a Maya que saliera a comprar todo lo demás. Y mi padre le había dejado el DVD de *La guerra de las galaxias* a un amigo, así que le llamé para pedirle que lo recuperara.

Le escuchaba aturdida. Al parecer, todo el mundo (Maya, la asistenta de los Moscovitz, Lilly e incluso los padres de Michael) habían participado en su plan para recrear la sala de proyecciones en su propio apartamento.

Solo yo había ignorado la existencia del plan. Igual que él había ignorado mi certeza de que iba a romper conmigo.

—Oh —balbuceé, empezando a sentirme la tarada número uno del mundo—. Así que… ¿no quieres romper conmigo?

—No, no quiero romper contigo —confirmó Michael, que empezaba a parecer un poco enfadado, quizá del mismo modo que el señor Rochester cuando supo que Jane había empezado a salir con ese tal St. John—. Mia, te quiero, ¿lo recuerdas? ¿Por qué iba a romper contigo? Ahora ven, siéntate y cómete esto antes de que se enfríe.

En ese instante no «empezaba» a sentirme como la tarada número uno del mundo: estaba segura de que lo era.

Pero, al mismo tiempo, me sentía increíble y absolutamente feliz, ¡porque Michael había vuelto a pronunciar la Gran Palabra! ¡Y en mi presencia! ¡Y con ese aire tan masculino, igual que el capitán Von Trapp o la Bestia o Patrick Swayze!

Entonces Michael pulsó el botón *play* del mando a distancia, y los primeros acordes de la brillante banda sonora de John Williams resonaron en la salita. Y Michael dijo:

—Vamos, Mia. O tal vez prefieras cambiarte antes de ropa. ¿Has traído algo normal?

Sin embargo…, seguía habiendo algo que no funcionaba. No del todo.

—¿Me quieres solo como a una amiga? —le pregunté, intentando sonar cínica y divertida, ya sabes, como haría René, para ocultarle la verdad: que el corazón me latía a mil por hora—. ¿O estás enamorado de mí?

Michael me miraba por encima del respaldo del sofá. Daba la impresión de que no daba crédito a lo que estaba oyendo. ¿Realmente acababa de preguntarle eso? ¿Se lo había preguntado sin más, obviando todo lo que Tina y yo habíamos hablado al respecto?

Por lo visto —en cualquier caso, a juzgar por la expresión en su cara— sí, lo había hecho. Noté que me iba poniendo roja, y más roja, y más roja, y más roja…

Jane Eyre jamás habría hecho esa pregunta.

Pero ojalá la hubiera hecho, porque el modo en que Michael respondió hizo que todo el bochorno de haber tenido que preguntarlo mereciese mucho la pena. Y el modo en que respondió fue el siguiente: alargó una mano, me quitó la diadema, la dejó en el sofá, a su lado, me tomó las dos manos, me acercó a él y me dio un beso larguísimo.

En los labios.

De la variedad con lengua.

Nos perdimos todo el prólogo, ese que aparece escrito en la pantalla y va avanzando hasta perderse en el infinito, gracias al beso. Al final, los disparos contra la nave de la princesa Leia nos arrancaron de nuestro ensueño y Michael dijo:

—Pues claro que estoy enamorado de ti. Ahora siéntate y come.

Realmente fue el momento más romántico de toda mi vida. Aunque viva tantos años como Grandmère, jamás volveré a ser tan feliz como en ese instante. Me quedé donde estaba, trémula y emocionada, como un minuto. Apenas podía digerirlo. ¡Me quiere! Y no solo eso: ¡está enamorado de mí! ¡Michael Moscovitz está enamorado de mí, Mia Thermopolis!

—Se te enfría la hamburguesa —insistió.

¿Lo ves? ¿Ves lo perfectos que somos el uno para el otro? Él es muy pragmático, mientras que yo tengo la cabeza en las nubes. ¿Ha habido alguna vez una pareja tan perfecta? ¿Ha habido alguna vez una cita tan perfecta?

Nos sentamos a comernos las hamburguesas vegetales y a ver *La guerra de las galaxias*, él con vaqueros y una camiseta retro de los Boomtown Rats, y yo con mi vestido de gala de Chanel. Y entonces, cuando Ben Kenobi dice: «¿Obi-Wan? Hacía mucho tiempo que no oía ese nombre», los dos respondemos al unísono: «¿Cuánto?», y Ben contesta, como siempre: «Mucho tiempo».

Y cuando, justo antes de que Luke despegue para atacar a la Estrella de la Muerte, Michael puso la película en pausa para ir a buscar el postre. Le ayudé a quitar la mesa.

Mientras él preparaba los *sundaes* de helado, yo volví a hurtadillas a la salita y dejé su regalo en la mesilla del televisor, y esperé a que regresara y lo encontrara allí, cosa que hizo pocos minutos después.

—¿Qué es esto? —quiso saber. Me ofreció mi *sundae*: helado de vainilla sobre un lecho de dulce de leche, nata batida y pistachos.

—Tu regalo de cumpleaños —contesté, apenas capaz de contener la emoción que sentía por ver cómo iba a reaccionar. Era mucho mejor que un caramelo o un jersey. Creía que era el regalo perfecto para él.

Me sentía en pleno derecho a estar emocionada, porque había pagado un precio bien alto por él: semanas de preocupación por si me pillaban y luego, cuando me pillaron, tener que bailar un vals con el príncipe René, que baila bien y eso, pero que huele como un cenicero, para ser sincera.

Así que el alivio fue enorme cuando Michael, con una expresión de desconcierto en la cara, se sentó y cogió la caja.

—Te dije que no tenías que regalarme nada —dijo.

—Lo sé. —Me balanceaba adelante y atrás, de lo nerviosa que estaba—. Pero quería regalarte algo. Y vi esto, y me pareció perfecto.

—Bueno —dijo Michael—, gracias.

Deshizo el lazo que mantenía cerrada la minúscula caja, levantó la tapa…

Y allí estaba, descansando sobre un fajo de algodón blanco: una piedrecilla sucia, no más grande que una hormiga. Incluso más pequeña que una hormiga. Del tamaño de la cabeza de una chincheta.

—Eh… —balbuceó Michael, observando aquella pequeña mota—. Es… muy bonito.

Me reí, deleitada.

—¡Ni siquiera sabes lo que es!

—Bueno —admitió—. No, no lo sé.

—¿No lo adivinas?

—Bueno —volvió a decir—. Parece… Quiero decir que se parece mucho a… una piedra.

—Es una piedra —confirmé—. Adivina de dónde.

Michael escrutó la piedra.

—No lo sé. ¿De Genovia?

—No, tonto —alardeé—. ¡De la luna! ¡Es una roca lunar! De cuando Neil Armstrong estuvo allí. Cogió un puñado, las trajo y las llevó todas a la Casa Blanca, y Richard Nixon le dio a mi abuela unas cuantas cuando era presidente. Bueno, técnicamente, se las dio a Genovia. Las vi y pensé que…, bueno, que tú debías tener una, porque sé que te gusta todo lo relacionado con el espacio. Por las constelaciones fosforescentes que tienes en el techo de tu habitación y eso…

Michael alzó la mirada —por primera vez desde que había abierto la caja; llevaba un buen rato observando su contenido como no dando crédito a lo que veía— y preguntó:

—¿Cuándo has estado tú en mi habitación?

—Oh —contesté, notando que volvía a ruborizarme—. Hace mucho tiempo… —Bueno, había sido mucho tiempo. Había sido incluso antes de saber que le gustaba, cuando le estaba enviando todos aquellos poemas de amor anónimos—. Una vez que Maya la estaba limpiando.

—Ah —zanjó Michael y volvió a mirar la roca—. Mia —dijo unos segundos después—. No puedo aceptar esto.

—Sí, claro que puedes —dije yo—. Quedan muchos más en el museo de Palacio, no te preocupes. Richard Nixon debía de apreciar mucho a Grandmère, porque estoy bastante segura de que tenemos más rocas lunares que Mónaco o que nadie más.

—Mia —insistió Michael—. Es una roca. Es una roca lunar.

—Exacto —confirmé sin estar segura de qué quería decir. ¿No le gustaba? Supongo que resulta un poco extraño regalarle a tu novio una piedra por su cumpleaños, pero aquella no era una piedra cualquiera, y Michael no era un novio cualquiera. Estaba segura de que iba a gustarle.

—Es una roca —añadió— que proviene de un lugar situado a treinta y siete mil kilómetros de aquí. De la Tierra. Treinta y siete mil kilómetros de la Tierra.

—Sí —repetí, preguntándome qué había hecho mal. ¿Acababa de recuperar a Michael, después de pasar toda una semana convencida de que iba a dejarme por una razón concreta, para acabar descubriendo que iba a dejarme por otra muy diferente? Realmente, no hay justicia en el mundo—. Michael, si no te gusta, puedo devolverla. Solo creí que…

—Ni hablar —dijo, alejando la caja de mí—. No vas a llevarte esto. No sé qué voy a regalarte yo por tu cumpleaños. Has puesto el listón muy alto.

¿Eso era todo? El rubor empezaba a remitir.

—Ah, bueno —dije—. Podrías escribirme otra canción.

Un comentario algo malicioso por mi parte, porque él nunca había llegado a admitir que aquella canción, la primera que había tocado para mí, «Trago largo de agua», hablaba de mí. Pero su sonrisa me confirmó que estaba en lo cierto. Hablaba de mí. ¡Sí!

Así que nos comimos el postre y vimos el resto de la película, y cuando acabó y aparecieron los créditos, recordé que había otra cosa que quería darle, algo que se me había ocurrido en el taxi, mientras intentaba decidir qué iba a decir si rompía conmigo.

—Ah, por cierto —dije—, he pensado en un nombre para tu grupo.

—Oh, no —exclamó con un gruñido—. Apuesto a que se parece a Escuadrón del Ala-X.

—Pues no —contesté—. Caja de Skinner. —Que es la cosa esa que aquel psicólogo empleó con las ratas y las palomas para demostrar que existe la respuesta condicionada. Pavlov, el tipo con cuyo nombre había bautizado Michael a su perro, hizo algo parecido, pero con perros y campanillas.

—Caja de Skinner —repitió Michael muy despacio.

—Sí —insistí—. Bueno, se me ha ocurrido por llamarse tu perro Pavlov y eso…

—Creo que me gusta —dijo Michael—. A ver qué dicen los chicos.

Me sentía deleitada y lucía una sonrisa de oreja a oreja. La noche estaba yendo mucho mejor de lo que había esperado, así que no podía dejar de sonreír. De hecho, por eso me he encerrado en el cuarto de baño, para intentar calmarme un poco. Soy tan feliz que apenas puedo escribir. Yo…

Sábado, 24 de enero, en el apartamento

Glups. Tuve que dejarlo así anoche porque Lilly se puso a aporrear la puerta del lavabo; quería saber si me había vuelto bulímica de golpe o qué. Cuando la abrí (la puerta, quiero decir) y me vio allí, con el diario y la pluma, me soltó, refunfuñona (Lilly es una persona más diurna que nocturna):

—¿De verdad te has pasado aquí la última media hora escribiendo en el diario?

Lo cual admito que es un poco raro, pero no he podido evitarlo. Estaba tan contenta que TENÍA que escribirlo para no olvidar nunca cómo me sentía siendo tan feliz.

—¿Y aún no has adivinado qué es lo que se te da bien? —preguntó.

Cuando negué con la cabeza, salió despavorida a grandes zancadas, muy enfadada.

Pero yo no podía enfadarme con ella, porque…, bueno, porque estoy enamoradísima de su hermano.

Tampoco puedo enfadarme con Grandmère, a pesar de lo que hizo: en esencia, intentar endilgarme anoche a ese príncipe sin techo. Pero no puedo culparla por intentarlo, ya que solo pretendía ufanarse delante de su amiga.

Además, llamó hace un rato; quería saber si me encontraba bien después de la trufa en mal estado que ingerí anoche. Mi madre, siguiéndome el cuento, le aseguró que estaba bien. Así que Grandmère quiso saber si podría acercarme para tomar el té con ella y con la condesa, que se moría por conocerme mejor. Le dije que tenía bastantes deberes. Algo que debió de impresionar a la condesa. Por mi sensatez y sentido de la responsabilidad, quiero decir.

Y tampoco puedo enfadarme con René, después de haberme ayudado anoche. Me pregunto si habrá congeniado con Bella. Sería gracioso que se llevaran bien… Bueno, sería gracioso para todo el mundo, excepto para Grandmère.

Y ni siquiera puedo enfadarme con los empleados de la lavandería por perder mi ropa interior de la reina Amidala, porque esta mañana llamaron a la puerta del apartamento, abrí y allí estaba nuestra vecina Ronnie, con un saco enorme lleno de ropa, incluidos los pantalones de pana del señor G. y la camiseta de mamá de «Liberad a Winona». Ronnie dice que debió de coger por error nuestra bolsa en el vestíbulo, y que luego se había ido de vacaciones a las Barbados con su jefe, y que acababa de darse cuenta de que tenía ropa que no era suya.

Sin embargo, yo no me alegro tanto como cabría esperar de haber recuperado mi ropa interior de la reina Amidala. Porque es evidente que puedo salir adelante sin ella. Había pensado pedir más por mi cumpleaños, pero ahora ya no tendré que hacerlo, porque Michael, aunque no lo sepa, ya me ha hecho el mejor regalo de mi vida.

Y no, no es su amor (aunque eso probablemente es la segunda mejor cosa que podría haberme dado). No, es algo que dijo después de que Lilly saliera despavorida del lavabo.

—¿Qué ha pasado? —quiso saber.

—Oh —contesté, escondiendo el diario—, se ha enfadado porque todavía no he descubierto mi talento oculto.

—¿Tu qué? —preguntó Michael.

—Mi talento oculto. —Y entonces, como había sido tan sincero conmigo con todo el tema del amor y eso, decidí ser yo también sincera con él, de modo que se lo expliqué—. Es solo que tú y Lilly tenéis mucho talento. Se os dan bien muchas cosas y a mí no se me da especialmente bien nada, y a veces siento que…, bueno, que no encajo. Al menos no en la clase de Genios y Talentos.

—Mia —dijo Michael—. Tú tienes mucho talento.

—Sí —dije, pellizcándome el vestido—, para parecer una campanilla de invierno.

—No —contestó Michael—. Aunque, ahora que lo dices, también se te da muy bien eso. Pero me refiero a la escritura.

Tengo que admitirlo: le miré fijamente y solté, en un estilo muy poco principesco:

—¿Eh?

—Bueno, es bastante evidente —explicó— que te gusta escribir. Quiero decir que te pasas la vida con la cabeza enterrada entre las páginas de tu diario. Y siempre sacas sobresaliente en los trabajos de Lengua. Creo que es más que obvio, Mia, que eres escritora.

Y aunque nunca antes lo había pensado, supe que Michael tenía razón. Quiero decir que siempre estoy escribiendo en este diario. Y también compongo mucha poesía, y escribo muchas notas y mensajes de correo electrónico y demás. En realidad, tengo la impresión de que me paso la vida escribiendo. Lo hago tan a menudo que nunca lo había considerado un talento. Es solo algo que hago siempre, como respirar.

Pero ahora que sé cuál es mi talento, voy a ponerme a trabajar para potenciarlo. Y lo primero que voy a escribir es un proyecto de ley que presentaré en el Parlamento de Genovia solicitando la instalación de más semáforos en el centro. En esa zona los cruces son criminales…

Aunque lo haré cuando llegue a casa, después de jugar a los bolos con Michael, Lilly y Boris. Porque incluso una princesa tiene que divertirse de vez en cuando.